L'ART ABSTRAIT

DANS LA MÊME COLLECTION

DORA VALLIER

L'ART
ABSTRAIT

HACHETTE
Littératures

Cet ouvrage a été publié pour la première fois dans la série « Art » du Livre de Poche, dirigée par André Fermigier.

A Pierre Rouve

Introduction

L'art abstrait naît presque avec le siècle. Dans la peinture d'abord, puis dans la sculpture apparaissent des formes qui ne contiennent pas l'image du monde extérieur. L'artiste ne nomme plus, il exprime. Au spectateur de saisir dans ses réactions la signification de ce qui est exprimé.

La première œuvre qui s'engage délibérément dans ce sens est une aquarelle de Kandinsky. Sa date, 1910, marque historiquement les débuts de l'art abstrait. Que l'on ait retrouvé dans les archives d'autres artistes des aquarelles ou des dessins abstraits de la même année, voire légèrement antérieurs, le fait est sans importance puisqu'il s'agit de gestes occasionnels et de tels gestes ne manquent pas tout au long du XIXe siècle, et même avant, dans les études préparatoires que les peintres avaient l'habitude de faire en vue d'un tableau. Mais toutes ces formes abstraites d'aspect ne représentent pas l'abstraction telle qu'elle s'impose dans l'art du XXe siècle.

Si Kandinsky est le premier peintre chez qui l'abstraction vient d'une conviction profonde, il n'est pas le seul. Quelques années plus tard, en 1914, Mondrian à son tour et par une voie tout à fait différente, abandonne la figuration. Presque en même temps, un troisième peintre d'envergure, Malévitch, par d'autres voies encore aboutit à l'abstraction. Ces artistes vivent, l'un à Munich, le second à Paris, le troisième à Moscou. L'art abstrait surgit en somme et s'installe partout en Europe au début du siècle. Il suit de près le fauvisme, l'expressionnisme et le cubisme, assimile certains de leurs éléments, tout comme ces tendances avaient de leur côté assimilé d'autres apports précédents, mais dans cette filiation qui établit de siècle en siècle la continuité de l'art, un fait nouveau est survenu : la réalité indissolublement liée à la forme n'est plus. C'est là donc que l'art abstrait rompt avec le passé : avec le passé immédiat, avec le passé plus lointain, encore plus lointain — on recule et on se demande jusqu'où va la rupture.

Y A-T-IL EU DES FORMES ABSTRAITES DANS LE PASSÉ? Lorsqu'on cherche des antécédents à l'abstraction on fait appel à l'élargissement de l'histoire qui nous permet aujourd'hui d'embrasser l'activité artistique de l'homme depuis les temps les plus reculés jusqu'aux lieux les plus éloignés. Espace et temps déployés concourent alors à nous faire conclure sans tarder que l'abstraction lucidement conçue, déduite de l'essence même de l'art, comme elle l'a été au xxe siècle, n'a jamais existé auparavant. La démarche abstraite réfléchie est sans précédents. Que ce soit tout au début du paléolithique, au néolithique, à l'âge de fer ou à certains moments de l'antiquité, chez les barbares du Haut-Moyen Age ou les nomades des steppes ou chez les peuplades primitives des antipodes partout où la forme s'est éloignée de la représentation réaliste, elle a pu aboutir à une apparence d'abstraction sans être abstraite au sens de l'art d'aujourd'hui. Aussi dangereuses que soient les généralisations en ce domaine, il semble cependant clair que cette tendance à l'abstraction a été chaque fois le résultat final soit d'une volonté de stylisation, de schématisation, soit d'une contraction de la forme réaliste jusqu'au signe. Dans tous ces cas la présence de la réalité persiste tout au long du processus créateur, qui la transforme, mais ne la nie pas. L'abstraction, relative, qui s'ensuit, n'est qu'un point d'arrivée. Jamais un point de départ. La con-

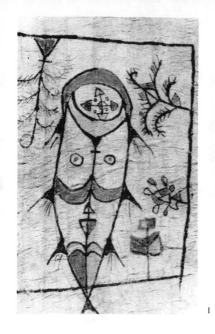

1

2

1. Peinture sur écorce battue (Nouvelle-Guinée). — 2. Paléolithique :
figures schématiques humaines et animales peintes dans la grotte de la
Graja (Espagne). — 3. Néolithique : intérieur de coupe (Suse). —

3. Néolithique : intérieur de coupe (Suse).
4. Étendard de bronze en forme de tête d'oiseau (Ulski).

science de « faire abstrait » n'existe pas. L'exemple
le plus significatif à cet égard nous est fourni par
l'art de l'Islam, considéré comme éminemment
abstrait du fait qu'il est le seul où il y ait abandon
de la réalité imposé par la religion. Obligation, par
conséquent, absolue, que l'artiste respecte. Il s'ab-
stient, en effet, de représenter la figure humaine qui
est l'image proscrite, mais la ligne continue des ara-
besques qu'il trace est souvent parsemée de fleurs,
d'oiseaux, de bêtes stylisées. La réalité est là,
inscrite dans ces formes que nous appelons à tort
abstraites (parce qu'elles sont stylisées) — ou alors
décoratives, ce qui est une seconde erreur, aussi
instructive que grossière. Décoratives, ces formes

qui voisinent sur les parois des mosquées avec les textes sacrés, réduits à leur tour à des signes calligraphiques, offerts au regard en même temps qu'à l'esprit? Certes, non. Seulement, leur valeur primitive de symboles a disparu, pour ne laisser place chez nous qu'à des préoccupations d'ordre esthétique. C'est ce risque de fausse optique que nous courons chaque fois que nous passons d'une civilisation à l'autre, franchissant les siècles pour extraire, ici et là, des formes. Nous ajoutons involontairement une signification autre, purement esthétique là où l'ancienne signification de la forme a disparu.

Aussi, pour la même raison, il serait faux d'associer l'art abstrait à l'ornementation, celle des poteries, des outils, qui est la forme d'abstraction la plus répandue à travers les millénaires. Mise à part l'ordonnance du décor qui obéit à un rythme (le rythme est une modalité particulière de la forme abstraite dont l'examen nous conduirait trop loin), l'ornementation part toujours d'un motif réaliste stylisé puis se perd dans le symbole et se survit au-delà, sous l'aspect d'une abstraction larvée, vide de sens qui depuis l'aube de la civilisation se prolonge encore de nos jours. On la retrouve dans le décor du produit artisanal, céramiques folkloriques, ouvrages d'ébénistes, d'orfèvres. Seul le produit industriel a mis fin à cette abstraction routinière qui n'a rien à voir avec l'art. Elle constitue, en quelque sorte, le cycle inférieur de l'histoire de l'art, lié au quotidien, où l'usage courant est usure de la forme, où la nécessité de répéter le même objet en plusieurs exemplaires, entraîne d'abord la stylisation de l'image concrète qui l'orne, puis sa schématisation (processus que l'on peut suivre aussi dans les effigies des monnaies), et enfin, la hâte de l'exécution aidant, on en arrive à l'abstraction stéréotypée. Simple ou composite, indifféremment, la forme devient alors la coque laissée vide par la disparition du symbole, car, ne l'oublions pas, tous les éléments abstraits de l'ornementation, la spirale, la grecque, la croix gammée, toutes ces formes ont eu à l'origine une valeur symbolique, rituelle même, très précise. Telle la croix pour les chrétiens. La vie et la mort y étaient présentes pour des collectivités entières et, dans de telles conditions, la permanence du signe consacré fait passer au second plan puis disparaître les préoccupations esthétiques. Ainsi cette forme d'abstraction se situe en dehors de la création artistique (excepté à l'heure de sa genèse qui se perd dans la nuit des temps et qu'une analyse structuraliste pourrait, peut-être, dévoiler). L'ornementation, par conséquent, prise dans son ensemble, non seulement n'a pas de points communs avec l'art abstrait d'aujourd'hui, mais il y a antinomie entre les deux, malgré les apparences qui, à première vue, laissent supposer des affinités.

Seule une extrapolation nous permettrait jusqu'à un certain point de déceler dans le passé la démarche de l'esprit qui est celle de la forme abstraite au xxᵉ siècle. Et elle serait à rechercher du côté du sentiment acquis avec le temps que toute œuvre d'art, dans ses partiés et dans son ensemble, obéit à une harmonie secrète, donc invisible, donc indépendante de ce qui est représenté. Cette harmonie intrinsèque, signifiée par le « nombre d'or », est pure abstraction. Expérience millénaire – pratique courante chez les Égyptiens, chez les Grecs, dont la codification sera entreprise pour la première fois au temps des Romains par Vitruve, au Iᵉʳ siècle av. n. è., puis sera mise au service de la perspective, vers le milieu du xvᵉ siècle grâce à Leon Battista Alberti et aboutira enfin au fameux traité *De divina proportione,* paru en 1509, où Luca Pacioli, fort des idées de Piero della Francesca, rattache la forme déduite du nombre d'or à la perfection universelle.
˙Une conviction implicite est commune à toutes ces

Monnaies gauloises. 5. Atrébates. Tête laurée à profil perdu. — 6. Nerviens. Les mêmes éléments transformés en expression idéogrammatique. — 7. Véliocasses. Tête composée de symboles.

8. Aurignacien : macarons tracés aux doigts sur l'argile.

recherches : celle du pouvoir abstrait des formes. Une forme peut être significative, belle, satisfaisante pour l'esprit et le regard, même quand elle ne représente rien. Si cette efficacité de la forme pure est dissimulée derrière la figuration aussi bien dans la statuaire antique que dans l'art de la Renaissance, il est un domaine où son pouvoir se manifeste avec éclat : celui de l'architecture. L'architecture (art non-figuratif que la pensée antique avait eu tant de mal à assimiler à l'art) est la seule parmi les formes du passé qui soit apparentée à l'art abstrait du xxe siècle.

A l'opposé de cette conscience totale de la valeur abstraite de la forme, on pourrait retenir le geste-magie de l'homme aurignacien qui imprime les traces de ses doigts dans l'argile fraîche de la grotte de Gargas sans rien figurer sinon la faculté de créer que possède sa main. Ce geste, issu du subconscient, où qu'il affleure, puise aux mêmes sources que certaines formes abstraites d'aujourd'hui.

Il y a là, en effet, deux attitudes créatrices divergentes qui se retrouvent d'une façon inattendue mais explicable, dans l'évolution de l'art abstrait depuis le début du siècle. D'un côté et dans un premier temps, l'abstraction tend à être une science de la beauté conçue comme un ordre et une harmonie et c'est ce qu'on a appelé « l'abstraction géométrique ». Ensuite, à partir de 1945 on assiste à une autre abstraction qui n'est plus la recherche de la forme, mais au contraire le désir d'exprimer, avant la forme et même en dehors d'elle, toute la richesse et la spontanéité de la vie intérieure, l'artiste se projetant sans écran dans son œuvre — et c'est ce qu'on a appelé l'abstraction « lyrique » ou « informelle ».

L'ART ABSTRAIT ET L'ESTHÉTIQUE. Si l'art abstrait, tel qu'il apparaît au XXᵉ siècle est sans précédents, sa progressive, lente élaboration peut néanmoins être dégagée des vicissitudes mêmes de la forme qui font l'objet de l'esthétique. L'absence de figuration qui constitue une singularité dans l'histoire de l'art ne gêne nullement la spéculation esthétique, le but de celle-ci étant d'éclairer l'œuvre d'art sans s'occuper de son sujet. Quand l'esthétique est née il y a deux siècles, comme une branche de la philosophie, la pensée avait acquis la certitude qu'elle ne rendait pas compte de la création artistique en décrivant l'œuvre d'art. En dehors des éléments susceptibles d'être décrits, celle-ci comportait une part qui demeurait irréductible à ses traits extérieurs. Contenu et forme ont été ainsi distingués. Puis l'examen de leurs particularités les a opposés et c'est alors qu'est apparue l'autonomie de la forme. A peine l'esthétique avait-elle été en mesure de la formuler (et le mérite en revient au XIXᵉ siècle), que la forme, reconnue indépendante, se libérait du contenu, devenait elle-même son propre contenu, sa liberté devant la conduire jusqu'à l'abstraction. C'est ce qui s'est produit au début du siècle.

Historiquement cette prise de conscience de l'autonomie de la forme a son origine dans la philosophie idéaliste. Kant le premier fait une distinction entre la « beauté libre » et la « beauté adhérente ». Il entend par beauté libre celle des motifs ornementaux, c'est-à-dire une forme qui ne signifie rien en elle-même, à la différence de la beauté de tout être ou objet concret, dite adhérente, qui prend un sens parce qu'elle adhère à tel être ou à tel objet. Même si, par la suite, l'esthétique de Hegel ne retient que la beauté adhérente, étroitement liée à l'expression de l'idée, la notion de « beauté libre » fera son chemin, d'autant plus que le développement de l'art moderne contribuera à la clarifier.

Dans ce sens il est intéressant de noter le rôle considérable et assez insolite du néo-classicisme lors de son triomphe en Europe au début du xixᵉ siècle. Néfaste pour la création artistique, impasse pour l'art, il aide néanmoins à approfondir la notion de forme. Winckelmann prône la statuaire antique et impose bien naïvement, un modèle à suivre sans se douter que ce qu'il obtient, ce sont des copies. Or, la copie est en soi un asservissement à une forme donnée. Et même s'il s'agit dans le climat néo-classique d'une expérience entièrement négative, proche de la contrefaçon, elle contribue, malgré tout, à familiariser l'esprit avec l'idée de forme, encore vague à l'époque. De cette manière le néo-classicisme au moment même où il appauvrit l'art, favorise la réflexion esthétique. Son idéal périt, mais le mirage d'une forme parfaite, le formalisme qu'il engendre, survit.

Sous l'emprise du romantisme, pendant tout le

xixᵉ siècle le courant majeur de l'art (surtout en France) évolue vers une expression de plus en plus subjective, de plus en plus libre qui l'éloigne de la tradition — pourtant la conscience d'une forme souveraine, absolue, obscurément traditionnelle persiste et elle se manifestera vers la fin du siècle. Aux écarts subjectifs de l'impressionnisme et aussi du réalisme (malgré son credo, Zola lui-même ne demande-t-il pas à l'œuvre d'art de lui révéler avant tout la personnalité de l'artiste?), succède un rappel à l'ordre. L'ordre, cette fois, est sans ambages celui de la forme en soi, que ce soit Seurat ou Cézanne ou Gauguin qui le réclament; ou même Maurice Denis, lorsqu'il écrit en 1890, la célèbre phrase : « Se rappeler qu'un tableau, avant d'être un cheval de bataille, une femme nue ou une quelconque anecdote, est essentiellement une surface plane recouverte de couleurs en un certain ordre assemblées. »

A ce moment-là l'art abstrait est virtuellement né. Dans les mêmes années cependant, sa venue s'annonce par une tout autre voie.

Si, en France, la pratique de l'art conduit vers la forme abstraite, en Allemagne, au contraire, c'est l'esprit spéculatif. A défaut de grands peintres, l'Allemagne possède au xixᵉ siècle une pléiade de philosophes. La spéculation qui aboutit à la forme abstraite doit tout à la philosophie et à la grande poussée que celle-ci provoque dans les domaines de l'histoire et de la philologie. Comme Lionello Venturi l'a clairement vu, « la même raison qui a fait décomposer un texte historique en ses sources, a fait décomposer l'œuvre d'art dans les éléments de son goût ».

Cette « décomposition » de l'œuvre d'art, complétée d'une analyse de ses parties constitutives, donne lieu à la théorie de la visualité pure qui se propose d'être une science de l'art distincte de l'esthétique du fait qu'elle étudie les phénomènes de la vision en laissant de côté les sentiments. Due principalement au philosophe Konrad Fiedler (1841-1895) et, dans une moindre mesure, au sculpteur Adolf Hildebrand (1847-1921), elle a sa source dans l'amitié qui les lie tous deux à Hans von Marées (1837-1887). Cet étrange peintre allemand dont la sensibilité dépasse de loin les dons (et qui, à un certain moment, intéressera beaucoup Klee), traverse à sa façon une crise néo-classique. Il se rend en Italie, mais l'étude des monuments du passé, au lieu de l'influencer, l'incite à se poser des problèmes théoriques. Son séjour italien engage son regard et son esprit dans une longue contemplation dont il fait part à ses amis dans sa correspondance. Peu à peu, proche en cela de certains philosophes comme Herbart et Zimmermann, il se persuade que l'œuvre d'art est essentiellement une volonté de forme qui se réalise en obéissant aux normes de la vision. Le sujet n'est qu'apparence. Aucun système dans les idées que Hans von Marées expose; seulement le désir de cerner une expérience authentique et l'espoir, en la communiquant aux autres, de la voir partagée.

De cet échange d'idées naîtra la théorie de la visualité pure formulée par Fiedler. A la lumière de l'expérience de Marées, celui-ci, en philosophe, repense l'art à partir des idées de Kant. Sa pensée, toute tendue vers l'insaisissable, se présente le plus souvent sous forme d'aphorismes et ce raccourci de l'écriture permet à Fiedler de montrer ce qui ne se démontre pas : que l'art est un langage spécifique et qu'il s'élabore selon ses propres lois dont les concepts ne peuvent pas rendre compte. Son but, le but de la visualité pure est de soustraire la forme à l'histoire et à la psychologie en la rattachant à nos facultés perceptives. Quand Fiedler écrit que « toute

forme d'art se justifie seulement quand elle est nécessaire pour représenter quelque chose qui n'est pas
représentable d'aucune autre manière », en vérité,
il est en train de justifier l'existence de la forme
abstraite. C'est la position même de la visualité
pure par rapport à l'esthétique traditionnelle qui
admet, qui implique la forme comme une donnée
visuelle dont l'intuition se satisfait pleinement.
Dans ce sens, quoique indirectement, Fiedler résout
le problème de l'abstraction en l'abordant du côté
de la forme. Du côté du contenu, ce même problème, cette fois directement abordé, sera résolu
par Worringer quelques années plus tard.

Les *Schriften über Kunst (Écrits sur l'Art)* de
Fiedler ne paraîtront dans une édition critique
qu'en 1914, presque dix ans après sa mort. Cependant dès 1893 le sculpteur Hildebrand avait publié
un texte, *Problem der Form (Le Problème de la Forme)*
où il traitait les mêmes questions que Fiedler,
mais sans l'acuité et la pénétration de ce dernier.
Si les écrits de Fiedler constituent le véritable
apport de la visualité pure, le livre de Hildebrand,
par le succès qu'il remporta à l'époque, nous aide
à comprendre un autre aspect des origines de l'art
abstrait.

Le succès de ce livre, si disproportionné par
rapport au caractère novateur des idées exposées,
demeure inexplicable tant qu'on ne s'avise pas du
malentendu qu'il comporte. Il est certain, en effet,
qu'avec le recul du temps, dans des écrits comme
ceux de Hildebrand, nous sommes sensibles à la
part d'avenir qu'ils annoncent et indifférents au
reste, peu soucieux donc de l'approfondir, alors que
c'est le reste précisément qui explique l'accueil très
favorable réservé aux idées de Hildebrand et indique
par là toute l'ambiguïté de l'esprit qui préside à
l'éclosion de l'art abstrait. Au centre de l'ambiguïté,
le mot *forme* et les résonances qu'il a vers la fin du

siècle dernier. Ce sont les années qui ont vu l'impressionnisme désagréger le réel et le mot *forme* qui rappelle l'intégrité dissoute, rassure dans la mesure où il semble renouer avec la tradition brisée. Aussi pour Hildebrand la stabilité de la tradition est-elle à reconquérir et ce rôle incombe à la forme. A ses yeux cela ne va pas sans maintes nuances novatrices, mais ses contemporains négligent ces nuances, à l'inverse de nous qui ne voyons qu'elles sans prêter attention au contexte qui ressortit au fond à l'académisme.

La même relation équivoque entre forme abstraite et idéal académique existe en France. Maurice Denis est un esprit pondéré, conservateur. Le développement de son œuvre le prouve, qui donne lieu à une dernière résurgence néo-classique. Il rêve à travers la peinture le rétablissement d'un ordre passé. Et c'est lui qui sur un ton d'injonction définit l'avenir de l'art avec une lucidité que personne n'a eue parmi ses contemporains. Mais, de même que pour Hildebrand, si on prend la célèbre phrase de Maurice Denis dans son contexte, on s'avise que l'injonction sous-entend les dangers impressionnistes : inconsciemment elle restaure une valeur déchue. Il y a dans la conception impressionniste du tableau un tel écart par rapport à la tradition — le premier depuis la Renaissance ! — et les bouleversements qui en résultent donnent tant d'actualité au problème de la forme que les modalités de celle-ci sont analysées avec une insistance inconnue jusque-là. L'art abstrait en découlera. Paradoxalement cette révolution de la forme se prépare, imprévisible, sous des idées de restauration.

Le pas décisif qui amène à concevoir une expression plastique non-figurative sera fait en Allemagne, dans le célèbre texte de Wilhelm Worringer *Abstraktion und Einfühlung* paru à Munich

en 1908. Ce texte, on le sait, est une thèse de doc-
torat présentée une année plus tôt à l'Université
de Berne, et la hardiesse de son contenu n'est peut-
être pas sans relation avec l'âge de l'auteur. Worringer (né en 1881) a vingt-six ans à l'époque. Nourri
de philosophie allemande, marqué par Schopen-
hauer, Worringer part du principe que l'histoire
de l'art doit dorénavant être conçue comme une
histoire de « la volonté de faire » (des Wollens) et
non plus comme une histoire du « pouvoir faire »
(des Könnens). Attitude qui implique ni plus ni
moins une inversion de la démarche esthétique. Au
lieu d'aller vers l'objet en analysant sa forme, il
faut, au contraire, partir du comportement du sujet
et, de là, aborder la forme : l'aborder, c'est-à-dire,
de l'intérieur, comme une intention, au lieu de la
regarder comme un résultat. A cet effet Worringer
s'appuie sur l'idée d'Einfühlung, retenue dès 1873
par le philosophe allemand Robert Vischer dans
son traité *Über das optische Formgefühl (Sur le sentiment de la forme visuelle)* et développée par la suite
en particulier grâce aux travaux de Theodor Lipps
(Ästhetik, 1903-1906). En reprenant cette idée
d'Einfühlung, Worringer a l'énorme mérite de
l'utiliser comme un instrument de travail avec
lequel il affronte l'ensemble de l'évolution de l'art.
Ainsi, dans le vaste tour d'horizon qu'il entreprend,
l'abstraction plastique se trouve-t-elle étudiée pour
la première fois comme le pôle opposé, mais symé-
trique, de la figuration — et justifiée en tant qu'abstraction.

L'intraduisible mot Einfühlung (les formules
proposées, sympathie symbolique, empathie sont
loin d'en épuiser le sens) exprime un état où le sentiment, souveraine alchimie, lie l'être humain au
monde qui l'entoure; l'Einfühlung, trait d'union
entre le dedans et le dehors, active fusion d'affinités,
oriente le moi vers une forme extérieure qui le

reflète. C'est en cette faculté d'être un avec le réel
que réside le pouvoir créateur de l'homme, c'est en
elle que l'art puise son véritable contenu, dans la
matière même de la vie spirituelle. L'idée d'Einfühlung accentue donc très fortement la signification
intérieure de la forme et rend du même coup secondaire la lecture de ce qu'elle représente.

Partant donc de l'Einfühlung, Worringer conçoit l'art comme l'extériorisation du rapport entre
l'homme et le monde extérieur. Ce rapport, s'il est
exprimé par la forme, s'exprime aussi et en même
temps dans la religion. Les formes peuvent varier
d'une époque à l'autre, d'un lieu à l'autre, de même
que les religions, mais certaines formes d'art cor-
respondront toujours à certains types de religion. Le
problème ainsi posé permet à Worringer de dépasser
ce qu'il appelle « notre étroit point de vue d'européens » qui ne voient la forme sinon par référence à
l'art classique. « Toutes nos définitions de l'art sont
des définitions de l'art classique », déclare-t-il — et
c'est là le grand pas que le jeune étudiant fera franchir à l'esthétique. En se fondant sur des exemples
précis, il se propose de circonscrire l'art de la
Renaissance. Il commence d'abord par passer au
crible l'architecture et les arts de l'Antiquité; ensuite,
plus près dans le temps et dans l'espace, il oppose
à la Renaissance les arts du Nord (celte, irlandais,
mérovingien) traçant ainsi une sphère de tendance
abstraite dans l'Europe même. Arrivé à ce point,
Worringer conclut : le réalisme indique que l'être
humain domine déjà le monde extérieur; l'Einfühlung peut avoir lieu, car l'entendement a pris le
dessus sur l'instinct. Or, l'instinct, pour Worringer,
c'est la peur, l'angoisse devant la réalité du monde.
Jean-Jacques Rousseau se trompe, dit-il, lorsqu'il
imagine l'aube de l'humanité comme un paradis
perdu. L'instinct est insécurité, il ne peut s'élever
à l'Einfühlung. Et le degré de l'Einfühlung décide

du degré de réalisme dans un art. « La poussée de l'Einfühlung, écrit Worringer, a pour condition un rapport de confiance total et heureux entre l'homme et les phénomènes extérieurs, alors que la poussée de l'abstraction est, au contraire, la conséquence d'une grande inquiétude intérieure chez l'homme, provoquée par les phénomènes du monde extérieur et elle correspond, dans le domaine de la religion, à une coloration fortement transcendantale de toute l'imagination. »

Sans être particulièrement attiré par l'abstraction plastique (ses lignes, il les qualifie de « raides », ses formes il les appelle « cristallisées, mortes »), sans pressentir son rôle déterminant dans l'art du XXe siècle, Worringer est cependant le premier à dégager l'abstraction en tant que donnée esthétique, le premier à entrevoir un contenu possible de la forme abstraite. D'une manière très pertinente, il observe en effet qu'au cours des civilisations il y a des moments où la puissance écrasante des dieux, aussi bien que son contraire — l'incertitude de l'existence ressentie comme une menace, détournent l'homme du réel : à de tels moments, la sensibilité étant retenue par ce qui est hors d'atteinte, l'art tend vers l'abstraction, car seule la forme abstraite peut transcender le réel.

Cette conception si neuve est sans rapport direct avec l'apparition de l'art abstrait. Aucun document ne prouve que Kandinsky ait eu connaissance de l'essai de Worringer quoique celui-ci ait paru deux ans avant qu'il ne commence lui-même la rédaction de son premier texte sur l'art abstrait. La coïncidence entre la théorie et la pratique ne fait que rendre plus claires les raisons profondes qui ont provoqué la naissance de l'art abstrait. Rien de gratuit dans l'expérience plastique, pas plus que dans la conception philosophique qui la précède de peu. L'une et l'autre obéissent au même impératif, l'une et l'autre surviennent à l'heure où la civilisation occidentale, faisant le bilan de ses propres acquisitions, se penche sur son histoire et réfléchit sur la validité de ses expériences.

La forme d'abstraction que Worringer conçoit n'aurait pas été possible sans l'approfondissement de la connaissance de l'art qui caractérise la fin du xixe siècle. Les premières approches encore extérieures de l'art qui avaient produit vers le milieu du siècle quelques manuels encyclopédiques, ont cédé la place au jugement qui cherche à atteindre l'essence de l'art. De l'analyse directe et de plus en plus approfondie de l'œuvre d'art, on remonte au principe. La notion de style se clarifie. L'importance de la démarche créatrice surgit au premier plan. La conscience de l'universalité de l'art s'affirme à côté de la relativité des interprétations de la forme. Aloïs Riegl dont les vues compteront beaucoup pour Worringer, se préoccupe du principe constructif du motif ornemental et affronte avec la même aisance aussi bien la sculpture hellénistique à claire-voie que l'entrelacs arabe *(Stilfragen, Problèmes de l'art,* 1893). Par ailleurs, l'influence de Fiedler aidera Wölfflin à élaborer son système de symboles visuels dont le but est de montrer de l'intérieur le développement général de l'art sans l'intrusion du moindre élément qui entrave la perception de la forme *(Kunstgeschichtliche Grundbegriffe, Concepts fondamentaux de l'histoire de l'art,* 1915). Un langage naît (il a cours encore), qui relève d'une maturité consommée de l'esprit. La même maturité qui par la voie de la forme aboutit à l'art abstrait. Et parce qu'il s'insère dans un tel contexte, parce qu'il appartient à une telle époque, l'art abstrait du xxe siècle nous paraît être un phénomène sans équivalents dans le passé.

L'ART ABSTRAIT. Phénomène et non pas simple tendance, tel est l'art abstrait. Aussi son évolution depuis cinquante ans est-elle celle d'un phénomène où plusieurs courants se dessinent dès le début, s'estompent pour surgir à nouveau à des années de distance, tout près de nous, amplifiés, certes, mais ambigus. Différentes périodes peuvent être distinguées dans le développement de l'art abstrait : la première, entre 1910 et 1920, qui est celle de ses origines, caractérisée par une extraordinaire vitalité créatrice. Puis une seconde période, entre 1920 et 1930, où l'on assiste à l'application pratique des formes abstraites — dans l'architecture, le mobilier, les arts graphiques; c'est la fin du décor 1900 et l'apparition de ce qu'il faut bien appeler le style du XXe siècle. Ensuite, autour de 1930, commence l'expansion de l'art abstrait; dans toute l'Europe un très grand nombre d'artistes se convertissent à l'abstraction, mais, du point de vue esthétique, cette phase de l'art abstrait constitue une régression. La forme abstraite s'épuise et ne tarde pas à s'enliser dans une sorte d'académisme. En 1939, quand la guerre éclate, l'art abstrait semble avoir perdu toute sa force créatrice. Or, aussitôt après 1945 il reprend une nouvelle vigueur. Cette fois les États-Unis aussi entrent en scène. Dans les années cinquante, la partie la plus vivante de l'art dans le monde entier évolue sous le signe de l'abstraction. Mais là, l'ambiguïté du phénomène apparaît déjà. De nombreux artistes que l'on pourrait croire abstraits sont, en vérité, figuratifs. On a beau ne pas reconnaître dans leurs œuvres une forme précise, nommable, ils ont conscience de figurer la réalité. Quelle est cette réalité qui paraît abstraite sans l'être, nous le verrons à la fin de ce livre, dans notre conclusion, après avoir pris connaissance de l'image que les artistes nous donnent d'elle. Pour l'instant nous nous en tiendrons à la simple constatation que l'art abstrait a agi si profondément qu'il a fini par toucher et transformer la figuration. Cette action (troublante parce qu'elle dérange la logique) étant en cours, les dimensions exactes et le rôle de l'art abstrait, seul l'avenir les discernera. Quant à nous, nous pouvons seulement en dégager les grandes lignes. Si face à ses aboutissements récents nous manquons de recul pour porter un jugement clair, par contre, notre horizon s'élargit à mesure que nous remontons vers ses origines.

Les pages qui suivent obéissent à cette perspective que le temps impose. Elles en épousent, pour ainsi dire, la forme qui est celle d'une pyramide, la base tournée vers le passé, le sommet vers le présent.

Les origines de l'art abstrait peuvent sans hésitation être identifiées avec l'œuvre de Kandinsky, non seulement parce que du point de vue chronologique il est le premier à aboutir à une vision abstraite qui fut un acte conscient et non une impulsion passagère, mais aussi et surtout parce qu'il est le seul parmi les pionniers de l'art abstrait à ne pas avoir été retenu par le cubisme. Ainsi l'éclosion de la forme abstraite garde-t-elle dans son œuvre une pureté en quelque sorte exemplaire. Kandinsky mise sur la couleur en tant que moyen d'expression complet, capable de recevoir une charge émotive qui se justifie en elle-même quand elle répond à un élan spirituel — spirituel presque au sens mystique. On retrouve dans son attitude l'écho, quoique infléchi, du « beau mystique » cher à Gauguin et aux symbolistes; peut-être aussi une trace de l'ondoiement pur du trait qui existe à l'état langoureux dans l'Art Nouveau et chez les Nabis et qui devient tension, force de jaillissement chez Kandinsky. Tension de la main qui cherche à faire jaillir la couleur, car le contenu du tableau abstrait pour Kandinsky, surtout au début, réside essentiellement dans la couleur en tant qu'expression de la « nécessité intérieure » où il voit le ressort de l'art.

Cette tâche qu'il assigne à la couleur, si elle peut la remplir, c'est que sa propre évolution le lui permet. La situation de la couleur, en effet, en tant que moyen de la peinture a considérablement changé en quelques décennies. Manet déjà avait mis fin aux passages graduels d'une couleur à l'autre et avait accentué la construction du tableau par des touches contrastées et imprévues qu'il plaçait ici et là, bien en vue. A cela n'avait pas tardé à faire écho la question de Gauguin : « Où commence l'exécution d'un tableau ? Où finit-elle ? » Le caractère « achevé » de la peinture est ainsi réfuté. Le glacis académique (photographique dirions-nous) n'a plus de raison d'être. Quant à l'existence de la couleur — existence toute relative que Baudelaire avait clairement sentie lorsqu'il avait défini la couleur comme « un accord de deux tons », elle s'affirme en faisant de sa propre relativité une force, un principe dialectique. La loi optique des couleurs, celle du contraste simultané régissent la vision impressionniste. Mais il ne fait pas de doute qu'envisagée de cette manière, la couleur est une donnée abstraite, séparée du ton local (donc de la réalité) pour être livrée à la spéculation. Et quand Gauguin, le révolté, l'impatient se demande quel est l'équivalent coloré de la lumière et qu'il répond « La couleur pure ! » — le fauvisme n'est plus qu'un pas à faire. C'est cette toute-puissance de la couleur qui guide Kandinsky, comme il l'avoue lui-même, quand il se lance dans l'abstraction.

Pendant que la couleur (et avec elle la touche) se libère de la représentation et apparaît comme une valeur en elle-même, la construction, la conception du volume et de la ligne changent également grâce à Seurat, à Cézanne. Dans leurs tableaux la forme se consolide, se dresse contre l'éphémère. Elle n'est plus l'image de l'instant multipliable à l'infini. Elle est l'invariable que le peintre fixe sous le variable. La peinture remonte de l'accidentel à l'absolu, du concret à l'abstrait, de l'objet à la géométrie de l'objet. Le cubisme relaie Cézanne.

Ainsi la forme conduit-elle, et tout droit, à l'art abstrait. Les cubistes ne rejettent nullement la réalité. Objets et êtres sont présents dans le tableau cubiste. Seulement leurs formes, au lieu d'être reprises à la lettre, sont analysées, et ce qui confère à la composition un aspect abstrait c'est l'analyse elle-même de plus en plus poussée, d'une toile à l'autre. Dans le cubisme initial l'objet prédomine, puis progressivement l'analyse prend le dessus et dans la dernière phase du cubisme, en 1912-1913, Braque et Picasso procèdent à une synthèse de toutes les données issues de l'analyse des formes. Mais le monde extérieur n'est pas pour autant renié.

Or, comme si le cubisme était appelé à franchir une étape de plus, Mondrian part du dernier état de synthèse auquel le tableau cubiste était parvenu et en épure les traits jusqu'à obtenir une composition abstraite. D'une manière moins systématique, mais analogue, Malévitch recueille à son tour l'héritage cubiste.

Entre 1910 et 1916, l'art abstrait a ainsi révélé ce qu'il doit à l'évolution préalable de la couleur et de la forme. Kandinsky tente de donner des assises à l'art abstrait en rationalisant l'expérience intuitive de la couleur. Mondrian rationalise le comportement de la forme, persuadé d'atteindre à un absolu. Mais Malévitch, d'un bond, par un extraordinaire raccourci de l'imagination, voit l'extrême point de ce double processus de rationalisation quand il peint en 1918 son célèbre *Carré blanc sur fond blanc.* La forme absolue et la couleur absolue ne peuvent être que la fin de la peinture. Troublant message dont la portée ne fait que grandir avec le recul du temps. Car le développement de l'art abstrait a fini par montrer les limites du rationnel qui ont déclenché, par contraste, l'irruption de l'irrationnel au sein même de l'abstraction. C'est à cette seconde phase de l'abstrait que nous assistons depuis la fin de la guerre.

A un premier moment donc l'abstraction géométrique aspire à un absolu rationnel. L'emploi du tire-ligne fascine le peintre; l'angle droit obsède le sculpteur. L'un et l'autre font le suprême effort d'oublier leur sensibilité particulière pour accéder à une expression universelle. Et parce qu'elle reste dans les cadres du rationnel, cette branche de l'art abstrait tend à s'imposer de manière presque exclusive à notre esprit, comme si elle seule représentait l'abstraction, alors qu'elle en est tout au plus une étape, la première, même si elle a quelques prolongements plus tard, lorsque l'art abstrait a déjà franchi le cap de l'irrationnel. Mais dans cette seconde phase de l'abstraction, les définitions chavirent et toute clarté devient laborieuse. On a beau se persuader qu'en supprimant le sujet, c'est l'idée préconçue des choses qui s'est trouvée du même coup supprimée et que, par conséquent, l'abstraction géométrique et celle qui ne l'est pas, se placent l'une et l'autre du même côté, derrière les apparences — ce qui les rend différentes s'approfondit. L'irrationnel demeure irréductible au rationnel. L'irrationnel et sa source, le subconscient.

L'ART ABSTRAIT ET LE SUBCONSCIENT. Dès qu'on soulève la question du subconscient en matière d'art, on songe au surréalisme. Sans doute parce que

9

9. Pablo PICASSO, *Nature morte,* 1908. — 10. Georges BRAQUE, *Harpe et violon,* 1912.

10

11. Piet MONDRIAN, *Composition Nº 1* (Arbres), 1912. – 12. Casimir MALÉVITCH, *Le Gardien,* 1912-13.

12

le surréalisme s'y est rattaché de lui-même en suivant à la lettre les théories de Freud, alors que l'art abstrait, au premier abord, semble résolument leur tourner le dos. L'absence en lui de toute préoccupation littéraire, la primauté qu'il accorde à la forme, enfin l'opposition franche dans les années trente entre le surréalisme et l'art abstrait, nous ont poussés à dissocier abstraction et subconscient. Ou plus exactement à ne pas les associer.

Or, en évoluant, l'art abstrait nous a permis de voir combien le champ du subconscient exploré par le surréalisme est réduit du fait qu'il reste dans les limites de la figuration. C'est une exploration audacieuse, révélatrice, nul ne conteste sa portée historique, mais elle ne peut être que partielle tant qu'elle s'applique à tirer au clair le subconscient, tant qu'elle se donne pour tâche de le dominer, parce qu'elle confère au subconscient illimité et mouvant les limites rigides du conscient. L'inverse de ce qu'une partie de l'abstraction tente depuis 1945 : celle-ci arrache par tous les moyens des lambeaux au subconscient et les offre au regard tels quels, balbutiements encore informes (Wols) ou incursions à perte d'haleine (Pollock), son propos étant d'attirer la sensibilité au cœur de ce qui n'a pas de nom pour qu'elle en fasse l'expérience. Ce n'est plus le subconscient qui émerge dans la clarté de la conscience, c'est la conscience qui, à la faveur des sens, est contrainte d'affronter l'opacité du subconscient. C'est la descente à pic vers l'expérience. La conscience a cessé d'être normative. Le symbolisme axial de la psychanalyse s'est dissout. D'autres symboles sous-jacents ont-ils été atteints par la forme abstraite dans les couches les plus profondes du subconscient? La question est là, mais quelle que soit la réponse — que la postérité accepte ou condamne l'art d'aujourd'hui — il est hors de doute que l'abstraction, en cela aussi, exprime son temps;

187
183

13. Vincent VAN GOGH, *Les Moyettes*, détail.

elle suit cette remontée aux sources de l'être humain qui caractérise le xxᵉ siècle.

LE RENOUVELLEMENT DES TECHNIQUES PICTURALES ET L'ABSTRACTION. Qui dit subconscient dit jaillissement, union entre la main et les moyens d'expression à ce point intime et immédiate que le geste de peindre se réalise dans l'instant. La peinture abstraite de l'après-guerre sera gestuelle (*action painting,* comme les Américains l'appellent) ou calligraphique (à la manière de l'Extrême-Orient) ou informelle. Tendances qui, toutes, rejettent le contrôle de la conscience. Et de ce fait s'attaquent à la technique. Si au début l'indépendance totale des couleurs et des formes suffisait à l'artiste abstrait, celui-ci éprouve aujourd'hui le besoin de transgresser les moyens techniques traditionnels.

Les lointaines origines de cet état de rébellion, une fois de plus, nous ramènent vers les impression-

14. Paul CÉZANNE, *La Montagne Sainte-Victoire*, détail.

nistes. Leur anticonformisme inaugure une ère d'audaces qui repoussent l'une après l'autre les conventions plastiques. Gauguin adopte comme support une toile rêche. Van Gogh peint en pleines pâtes. Ce qui était licence devient règle, mode nouveau de l'expression plastique. La couleur, cet « hymne compliqué » comme l'avait appelée Baudelaire, acquiert une matérialité insoupçonnée (que l'on verra s'épanouir à outrance dans l'art du xxᵉ siècle). Elle devient le véhicule d'une spontanéité que les techniques anciennes ne permettaient pas d'exprimer. Là où la façon de peindre s'éloigne des conceptions académiques, ce qui sera plus tard l'art abstrait commence à se manifester. Qu'on isole au hasard un détail dans une peinture de Monet ou de Van Gogh, de Gauguin ou même de Cézanne, on obtient un tableau abstrait. En quelques lustres cette liberté partielle s'étendra au tableau entier. Puis, chez les peintres abstraits de l'après-guerre, la couleur fera prévaloir ses propriétés de matière. L'instinct aura détrôné l'esprit. C'est là que passe la ligne de démarcation la plus nette entre les deux phases de l'art abstrait, la première liée encore à la philosophie idéaliste traditionnelle, alors que la seconde relève déjà de la philosophie existentielle. A une peinture abstraite axée sur l'espace − (l'espace « dimension de l'être » selon le mot de Sergio Bettini) − succède une autre déployée dans le temps, le temps « émergence de ce qui existe ».

LA MARGE DE L'ART ABSTRAIT. Toutes les transformations du langage pictural qui débutent au XIXe siècle et qui s'approfondissent au XXe, autant celles qui touchent la forme que celles qui concernent la couleur, agissent finalement dans le même sens : elles dégagent la peinture de ce qui faisait d'elle un art d'imitation. Pour les nouvelles générations le contenu anecdotique est relégué au second plan et le tableau centré sur lui-même. Voilà pourquoi, souvent, dans la pratique, la figuration se heurte à l'abstraction sans que celle-ci soit spécialement visée. Entre 1910 et 1920 les exemples ne manquent pas d'une abstraction passagère, momentanée, dans l'œuvre d'artistes qui demeurent par ailleurs figuratifs.

Tel est le cas d'une série d'aquarelle de petites dimensions, dont *Abstraction 2,* que l'Américain 15 Arthur Dove peint en 1910 et qui révèlent une sensibilité et une originalité étonnantes pour l'époque. 16 Tel est aussi le cas de Fernand Léger lorsqu'il peint, en 1913, certains de ses vigoureux contrastes de formes, ou bien de Wyndham Lewis, le chef de file du vorticisme anglais; poussé par un violent désir de faire table rase du passé, en 1913 il réalise entre autres une *Composition* totalement abstraite qui est 18 une de ses réussites les plus intéressantes. Au sein

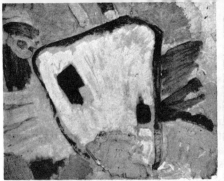 

15 16

15. Arthur DOVE, *Abstraction 2*, 1910. — 16. Fernand LÉGER, *Contraste de formes*, 1913. — 17. Giorgio MORANDI, *Nature morte métaphysique*, 1918. — 18. Wyndham LEWIS, *Composition*, 1913. — 19. Giacomo BALLA, *Mercure passant devant le soleil*, 1914. — 20. Jacques VILLON, *L'équilibre rouge*, 1921.

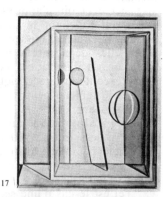

17

18 19

du futurisme qui s'attache à exprimer le mouvement et qui frise par là l'abstraction, Giacomo Balla peint une série d'œuvres abstraites dont *Mercure passant devant le soleil,* 1914. De son côté, Morandi épure l'insolite climat de la Peinture métaphysique jusqu'à l'abstraction dans un tableau comme la *Nature morte métaphysique* ocre et gris, peint en 1918, où il articule le langage abstrait avec une aisance proche du tour de force : la construction rigoureusement dépouillée, incisive, au lieu de raidir les formes, les laisse comme en suspens et l'espace qui en résulte, loin d'être affirmé, semble lui-même interroger.

Un peu plus tard, en 1921, Jacques Villon sera tenté à maintes reprises de représenter des notions abstraites : *Joie, Repliement, l'Équilibre rouge,* autant de tableaux abstraits, mais qui s'insèrent sans heurts dans son œuvre puisque l'abstraction est une conséquence logique de l'emploi du nombre d'or pour lequel il a opté dix ans plus tôt, comme du reste tout le groupe qui expose sous l'étiquette « Section d'or ».

Enfin, le Russe Michel Larionov, promoteur du rayonnisme, aboutit à l'abstraction vers 1912-1913, ainsi qu'en témoignent certaines de ses œuvres qui sont d'ailleurs précédées et suivies de tableaux figuratifs.

Ces moments abstraits (et ce ne sont pas les seuls – on en voit aussi bien dans l'œuvre de Klee, de Carrà) qui parsèment la peinture figurative, montrent à quel point l'abstraction et la figuration, telle que celle-ci apparaît au début du siècle, sont congénères, à quel point le passage de l'une à l'autre est aisé. Tous les mouvements d'avant-garde figuratifs, le cubisme, le futurisme, la Section d'or, le vorticisme, le rayonnisme, et même la Peinture métaphysique, frôlent l'abstraction. Tous (excepté la Peinture métaphysique) à leur avènement ont été

20

20. Jacques VILLON, *L'équilibre rouge*, 1921.

21

21. Michel LARIONOV, *Rayonnisme bleu*, 1912. — 22. Paul KLEE, *Silbermondgeläute*, 1921. — 23. Carlo CARRÀ, *Manifestation interventiste*, 1914.

22

23

qualifiés d'abstraits et cela pour la simple raison que
leurs moyens d'expression sont effectivement
abstraits. Leur aspect figuratif, en somme, n'est devenu « visible » qu'à distance, avec le temps, quand
notre sensibilité modifiée, mûrie par l'évolution des
formes en est arrivée à faire la différence entre la
véritable abstraction et l'abstraction apparente et
qu'elle a pu mettre des frontières. Frontières extérieures à la démarche de l'art, ne l'oublions pas, qui
sont des points de repère et rien d'autre.

Cette tendance générale à l'abstraction qui
caractérise l'ensemble de la peinture du xxᵉ siècle,
provient (nous l'avons vu) du goût de la spéculation
esthétique hérité du xixᵉ siècle. Comment celle-ci
se prolonge jusqu'à frayer le chemin à l'abstraction,
il suffit de se référer à l'œuvre de Robert Delaunay
pour s'en rendre compte.

Delaunay concentre son attention sur l'étude
du cercle chromatique qui avait tant fait rêver Seurat, et, parce qu'il cherche à exprimer la lumière
en elle-même, dès 1912-1913, il exécute, entre
autres, plusieurs tableaux abstraits dont les *Formes*
circulaires ou certaines de ses fameuses *Fenêtres si-*
multanées qui feront école, mais une volonté délibérée d'abstraction ne se manifestera dans son
œuvre que dans les années trente.

De même Kupka aboutit à l'abstraction par la
voie de la spéculation esthétique. Lié aux peintres
de la Section d'or qui discutent passionnément
l'harmonie des proportions, il réalise en 1911-1912
ses premières peintures abstraites. Plus loin nous
verrons la place de ces deux artistes dans l'évolution de l'art abstrait. Ici leur activité précoce de
peintres abstraits n'a été évoquée qu'à titre
d'exemple, pour montrer comment l'abstraction
est inextricablement mêlée, confondue avec les origines de l'art contemporain.

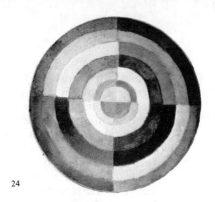

24

25

26

24. Robert DELAUNAY, *Disque*, 1912. — 25. Robert DELAUNAY, *Les Fenêtres sur la ville*, 1912. — 26. Frank KUPKA, *Plans verticaux bleus et rouges*, 1913.

Et parce qu'il en est ainsi, même Dada, à ses débuts, touche à l'abstraction.

DADA ET L'ABSTRACTION. L'art abstrait étant lié, lié à l'extrême à la révocation des principes esthétiques jusque-là considérés comme éternels, il va de soi que l'esprit corrosif de Dada s'est attaqué aux formes abstraites. Quelle est la valeur de l'art, s'interroge Dada, et en a-t-il une? Puisque les moyens d'expression plastiques ne sont que pures conventions, même transgressés comme ils l'ont été au début du siècle, ce n'est pas pour cela qu'ils changeraient de nature. Déchu de son piédestal absolu, l'art n'a de place que dans la relativité. Révolte et ironie désarticulent les formes, empruntent la couleur aux vieux papiers, aux chiffons, aux déchets. Comme un mécanisme monté à l'envers, l'art dans les œuvres Dada se disloque. Et la dislocation n'épargne pas la forme abstraite. On le voit dans certaines peintures de Picabia, telles que *Novia,* 1917, ou dans certains dessins de Max Ernst du genre *Impressions mécaniques rehaussées de couleurs,* 1920, ou encore dans les premières sculptures de Jean Arp, telle la *Construction en bois polychrome* de 1920, ou dans le célèbre tableau de Stuart Davis *Lucky Strike,* peint en 1921 et enfin dans les collages, ceux de Man Ray et surtout ceux de Schwitters, les tableaux Merz qu'il exécute à partir de 1919. Désacralisation de l'art, menée jusqu'au bout par Marcel Duchamp dans toutes ses entreprises, et parodique consécration de la machine dont l'automatisme productif – et totalement abstrait – est appelé à corroborer la gratuité, l'inutilité du geste humain. Dérision où se reflète entièrement la crise qui a donné naissance à Dada.

   Ainsi par ses ricanements Dada insinue qu'à la suite de toutes les valeurs du passé successivement reniées par la figuration et l'abstraction, la précarité de la création humaine se profile comme une ombre portée, pour la première fois dans l'histoire.

   De toutes les marges de l'art abstrait, Dada est certes la plus ambiguë, mais aussi celle d'où l'on découvre le mieux l'étendue et la complexité de ce phénomène du xxe siècle qu'est l'abstraction.

27 28

27. Francis PICABIA, *Novia,* 1917. — 28. Max ERNST, *Impressions mécaniques rehaussées de couleurs,* 1920.

29. Stuart DAVIS, *Lucky Strike*, 1921

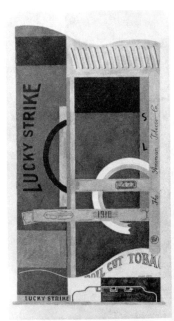

29

30

31

30. Man RAY, *collage*, 1918. — 31. Jean ARP, *Trousse d'un Da*, 1920. — 32. Kurt SCHWITTERS, *Merzbild*, 1920. — 33. Marcel DUCHAMP, *Glissière contenant un moulin à eau* (en métaux voisins), 1913-15.

32

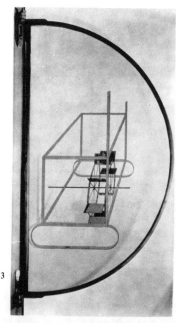

33

1

Les origines
de l'art abstrait
et son
expansion

VASSILY KANDINSKY

En 1910, Kandinsky peint sa première œuvre abstraite. Il a quarante-quatre ans. C'est l'événement de sa vie. La suppression de l'objet concret a beau se préparer de loin, une fois réalisée, elle devient un fait que Kandinsky éprouve le besoin de justifier. A ses expériences picturales viennent s'ajouter ses écrits, comme s'il devait aux autres toutes les explications de son entreprise. Ainsi est-il le premier, suivi de Mondrian et de Malévitch, à entreprendre la défense de l'art abstrait. C'est du reste à la passion que ces peintres mettent à écrire que l'on reconnaît à quel point ce mode d'expression bouleverse la tradition. Tout en se cherchant, l'art abstrait doit plaider sa cause. Nous savons qu'il relève d'une maturité esthétique consommée et il n'est pas étonnant que ses premiers maîtres aient, en quelque sorte, tenté de prendre du recul pour peser leurs propres actions. C'est eux donc qui situent cette nouvelle forme d'expression par rapport au passé et, parfois, dans des accents prophétiques, aussi par rapport à l'avenir. Voilà pourquoi leurs écrits, destinés à l'origine à éclairer leurs œuvres, finalement les complètent, car ils dévoilent la matière première à partir de laquelle l'art abstrait s'élabore. Conjointement aux exploits de l'abstraction, nous découvrons ainsi, non sans surprise, chez ces peintres certains éléments intellectuels de l'époque que personne n'aurait mis en relation avec leurs conceptions esthétiques s'ils n'y faisaient pas allusion eux-mêmes. Qui aurait associé, en effet, la peinture de Kandinsky à l'exsangue spiritualisme fin de siècle? Ou celle de Mondrian à la théosophie? Ou celle de Malévitch au nihilisme russe? Ce sont là des facettes mineures de l'époque qui irradient au fond de l'expression abstraite, sources étrangement sublimées que l'histoire de l'art abstrait aurait tort de négliger. Dans l'esprit des premiers peintres abstraits, la spéculation intellectuelle accompagne les recherches plastiques, elle les suit pas à pas et par son entremise l'œuvre de chacun retrouve sa juste position historique.

Il y a dans l'avènement de l'art abstrait un ordre logique profond que rien de fortuit ne vient troubler. Ainsi la première œuvre abstraite de Kandinsky sera-t-elle une aquarelle et non une peinture à l'huile. La spontanéité, la rapidité d'exécution que la technique de l'aquarelle requiert, vont au-devant de l'affranchissement auquel l'artiste aspire. La main distance l'esprit. Pour atteindre le même degré de liberté dans la peinture à l'huile, Kandinsky aura besoin de plus d'un an encore de travail acharné. En 1911, lorsqu'il peint à l'huile certaines de ses *Improvisations*, il est enfin maître de l'expression nouvelle qu'il a tant cherchée aussi bien par la voie de la pratique que par celle de la réflexion. Dès 1910, parallèlement à ses premières expériences abstraites, Kandinsky a commencé la rédaction de *(Du Spirituel dans l'Art), Uber das geistige in der Kunst* qu'il complète au fur et à mesure jusqu'à la parution de l'ouvrage, en janvier 1912. Il a pleine conscience de la singulière aventure qui est la sienne. Son propos est de la relater de la manière la plus objective, en évitant toute anecdote. Le vent d'avant-garde qui souffle à ce moment à Munich est tel que deux éditions du *Spirituel dans l'Art* seront épuisées en un an et on procédera à une troisième. Même si pour une partie des critiques — il nous l'apprend lui-même — son livre a été « une

mauvaise plaisanterie », sans hésiter il en écrit un
second, intitulé *Regard sur le Passé (Rückblicke)* qui
paraît en 1913. Cette fois on sent nettement que
Kandinsky écrit pour son public, pour ceux qui ont
lu avec intérêt *Du Spirituel dans l'Art*. Le ton de
l'écriture a changé. L'épanchement s'est substitué
à l'exposé volontairement sobre. Kandinsky nous
livre ses pensées, ses sentiments intimes. Il esquisse
en somme sa biographie, mais une biographie à sens
unique, qui cherche à montrer au fil des jours le
cheminement de l'abstraction et rien d'autre. Ses
joies et ses peines défilent avec ses souvenirs, les
jeux de son enfance rejoignent les impressions de
l'artiste mûr, et la personnalité de Kandinsky émerge
tout entière, forçant l'admiration. Décidé à suivre
les traces de ce qui a pu agir sur lui et déterminer
sa peinture, aux prises donc avec la fuyante matière du subconscient, Kandinsky, pour la retenir,
laisse son existence passée venir et se recomposer
par associations d'idées, ou plutôt de sensations.
Le propos de son récit en dicte la forme, et cette
forme, en 1913 déjà, annonce Proust. Négligeant
tout ordre chronologique, ce que Kandinsky veut
retrouver à travers sa biographie, c'est le temps
intérieur qui nourrit son œuvre. Qu'il soit doué
comme écrivain, qu'il aime manier les mots, c'est
incontestable. L'allemand, il l'a toujours parlé dans
sa Russie natale, depuis son plus jeune âge, et il
l'écrit avec aisance. La même année, du reste, il
publie un recueil de poèmes *Klänge (Sonorités)* qu'il   35
illustre de bois gravés. Mais le fait que pour raconter son expérience de peintre abstrait, il aboutit
spontanément à une forme de narration qui sera
une des conquêtes majeures de la littérature au
xxe siècle, constitue un exemple frappant de cette
unité qui confère à une époque sa physionomie particulière. Parce que, au début du xxe siècle, l'ambition des créateurs a été de se glisser derrière les

34. Vassily KANDINSKY, Première œuvre abstraite, 1910. Aquarelle.

apparences, un Kandinsky, d'instinct, raconte sa
vie à la manière de Proust. Il reprend en sous-
œuvre la trame continue de l'existence, la nature
de ce qu'il a à dire l'oblige à s'installer dans la
durée, telle que Bergson devait la définir dans ces
mêmes années. Et tout ce qu'il nous apprend, de
cette manière, de lui-même, de ses parents, de sa
vie en Russie, de ses voyages, de son séjour à Munich, devient bien plus qu'un récit biographique :
Regard sur le Passé est un document essentiel pour
la connaissance de Kandinsky, il contient la « clef »
de l'homme, et par là, de l'œuvre.

Dès le début du livre, à travers les bribes de
ses premiers souvenirs — à travers la forte impression de noir qu'un fiacre à Florence et une prome-
nade en gondole, la nuit, à Venise, laissent à l'enfant

de trois ans en voyage avec ses parents – le milieu familial de Kandinsky se dessine. Il appartient à la grande bourgeoisie russe, et sa ville natale, Moscou, (il y est né en 1866) jouera un rôle considérable dans sa vie. Peu de temps après ce voyage en Italie, pour des raisons de santé, ses parents se fixent à Odessa dans le sud de la Russie. L'éloignement cristallise alors son amour pour Moscou : « Le souvenir de cette ville avait fait naître dans mon cœur une nostalgie semblable à celle que décrit Tchékhov dans *Les Trois Sœurs*. A partir de ma treizième année mon père m'emmena chaque année avec lui à Moscou et enfin, à dix-huit ans, j'allai définitivement m'y installer avec la sensation de retrouver mon propre pays. »

C'est à l'Université de Moscou que Kandinsky commence en 1886 ses études de droit et d'économie politique. C'est là qu'il fait sa carrière comme attaché à la faculté de droit, mais en 1896, lorsqu'on lui propose une chaire de professeur à l'Université de Dorpat, en Estonie, il donne sa démission : il a décidé de se consacrer à la peinture. Il quitte la Russie et s'en va étudier à Munich.

En 1913 donc, quand il écrit *Regard sur le Passé*, il est loin de sa ville depuis plus de quinze ans, il s'est forgé un langage pictural au contact de l'avant-garde occidentale, sa peinture est devenue abstraite et pourtant, au fond de lui, il se sent encore lié à Moscou : « Notre-Dame de Moscou aux pierres blanches et aux dômes dorés. Moscou : sa complexité, sa dualité, son extraordinaire mobilité, les contradictions et le pêle-mêle de ses aspects extérieurs forment en dernier lieu le propre et l'unité de son visage [...]. C'est Moscou dans l'ensemble de sa vie intérieure et extérieure qui a été le point de départ de mes inspirations de peintre, qui a été mon diapason de peintre. Il me semble qu'il en fut toujours ainsi, qu'avec le temps, grâce aux progrès réalisés dans ma forme, j'ai peint ce même « modèle » avec de plus en plus d'expression, d'une façon plus parfaite, plus essentielle et que je le peins encore actuellement. »

C'est sur cet aveu, déroutant au premier abord, que s'achève *Regard sur le Passé*. Pour comprendre sa signification, pour saisir comment la forme abstraite équivaut à un retour, infaillible, aux sources de l'être humain, il faut suivre de près Kandinsky lorsqu'il écrit : « Les premières couleurs qui me firent grande impression sont le vert clair et vif, le blanc, le rouge carmin, le noir et le jaune ocre. Ces souvenirs remontent à ma troisième année. Ces couleurs appartenaient à divers objets que je ne revois pas aussi clairement que les couleurs elles-mêmes. »

Ou encore, faut-il l'entendre décrire sa première palette, qu'il avait achetée à treize ans avec ses propres économies d'écolier : « Au milieu de la palette vit le monde extraordinaire des couleurs déjà employées qui vagabondent loin de leur source et se matérialisent utilement sur la toile. C'est un monde issu de l'œuvre déjà peinte qui s'est formé par hasard, sans intention, par les jeux mystérieux de l'artiste, lesquels ont déterminé des forces étrangères à son œuvre. Et je dois une grande reconnaissance à ces hasards; ils m'ont plus appris que ne l'ont fait maîtres et professeurs. Je les ai observés avec amour et admiration pendant de longues heures [...]. C'est ainsi que cette découverte des couleurs sur la palette et aussi dans leur tube, qui ressemblent incontestablement à des êtres vivants possédant une âme dont la puissance cachée éclate et se manifeste dans l'action imposée par l'artiste, se traduit pour moi en expériences spirituelles. » Et pour conclure, cette déclaration qui semble une prémonition de la peinture du milieu du siècle : « La palette, issue des éléments qui composent l'œuvre est souvent en elle-même une œuvre plus belle que n'importe quelle œuvre. »

Toute l'ouverture de la sensibilité que l'art abstrait requiert est dans ces remarques. A partir d'elles on comprend cet autre aveu de Kandinsky, parlant de *La Meule* de Monet : « Une part de mon Moscou enchanté existait déjà sur cette toile. » Le contraste est alors d'autant plus inattendu (mais non insoupçonné) lorsqu'on découvre chez cet homme, tellement proche de nous, un certain côté fin de siècle : « Tout me montre son visage, son être intérieur, son âme secrète qui plus souvent se tait qu'elle ne parle », écrit Kandinsky, et il ajoute : « C'est ainsi que tout point, toute ligne immobile devenaient vivants pour moi et m'offraient leur âme. »

Mais là où le mot âme, qui revient souvent sous la plume de Kandinsky, nous déconcerte, c'est quand on constate que ses pâles rayons donnent chez ce peintre tant de vigueur à des convictions plastiques révolutionnaires. Ainsi, partant de la communion de l'âme avec le tout, voilà où il aboutit : « Cela suffit à me faire découvrir avec tout mon être, et tous mes sens, les possibilités d'existence d'un art qui restait à déterminer et qui aujourd'hui, à l'opposé de l'art figuratif, a été appelé art abstrait. »

Quelques événements marquants avaient fait pressentir à Kandinsky l'existence de cette forme d'art dont il sera finalement le promoteur. Ce furent en premier lieu, presque simultanément, la révélation de Monet à l'Exposition des impressionnistes français à Moscou, en 1895, que le jeune attaché à la faculté de droit, peintre amateur, avait visitée, et une représentation de *Lohengrin* de Wagner qu'il avait entendu au Théâtre de la Cour.

« Jusque-là, je ne connaissais que l'art naturaliste, et à vrai dire, presque exclusivement les Russes. [...] Soudain, je me trouvai pour la première fois devant une *peinture* qui représentait une meule de foin, ainsi que l'indiquait le catalogue, mais que je ne reconnaissais pas. Cette incompréhension me troublait et me taquinait fort. Je trouvais que le peintre n'avait pas le droit de peindre d'une façon aussi imprécise. Je sentais sourdement que l'objet (le sujet) manquait dans cette œuvre. Mais je constatai avec étonnement et confusion qu'elle ne faisait pas que surprendre, mais qu'elle s'imprimait indélébilement dans la mémoire et qu'elle se reformait devant vos yeux dans ses moindres détails. Tout ceci restait confus en moi, et je ne pouvais encore prévoir les conséquences naturelles de cette découverte. Mais ce qui s'en dégagea clairement, c'est la puissance incroyable, inconnue pour moi d'une palette qui dépassait tous mes rêves. La peinture m'apparut comme douée d'une puissance fabuleuse. Mais inconsciemment l' « objet » employé dans l'œuvre en tant qu'élément indispensable, perdit pour moi son importance. »

Quant à *Lohengrin,* en écoutant la musique de Wagner, Kandinsky a l'impression de retrouver l'heure d'avant la fin du jour. « Les violons, les bassons graves et, particulièrement, tous les instruments à vent réalisaient pour moi l'éblouissement de cette heure. [...] Je croyais voir toutes mes couleurs, je les avais sous les yeux. Des lignes échevelées, presque extravagantes, se dessinaient devant moi. Je n'osais pas dire que Wagner avait peint « mon heure ». Je découvrais dans l'Art en général une puissance insoupçonnée et il me parut évident que la peinture possédait des forces d'expression et des moyens aussi puissants que ceux de la musique. Mais mon impossibilité à les découvrir moi-même, tout au moins à les chercher, me remplissait d'amertume. »

Par ailleurs, déjà en 1889, un voyage dans le gouvernement de Vologda, en Russie du Nord (où il s'était rendu en mission, chargé d'étudier le droit criminel des populations rurales), lui avait révélé le pouvoir d'envoûtement de la peinture : « Je me rappelle encore qu'en entrant pour la première fois dans une isba, je restai cloué d'étonnement devant les peintures surprenantes qui m'entouraient; tables, bancs, poêles énormes, armoires et chaque chose étaient recouverts d'ornements primitifs aux couleurs vives. [...] Lorsque, enfin, je pénétrai dans la chambre, je me trouvai entouré de tous côtés par la peinture, comme si j'étais entré moi-même dans la peinture. »

La même année, un autre voyage, à Saint-Petersbourg, avait fait découvrir à Kandinsky la peinture de Rembrandt au musée de l'Ermitage. Le grand contraste entre les parties claires et les parties obscures dans les tableaux du maître hollandais, « le fondu des tons secondaires » et surtout « l'effet amplificateur de la juxtaposition des contrastes » l'avaient bouleversé. (En revanche, un troisième voyage, toujours en 1889, et cette fois à Paris, n'a guère de place dans ses souvenirs. Est-ce la dispersion de l'Exposition universelle qu'il était venu voir? – ce premier contact avec Paris n'apporte rien au peintre qu'il sera.)

Telles sont les acquisitions de la sensibilité de Kandinsky quand il vient s'installer à Munich, en 1896, pour y travailler la peinture. Il a trente ans. Sa vocation l'a emporté sur la carrière qu'il avait auparavant choisie. Mais, techniquement, que sait-il de la peinture? Adolescent, il a reçu quelques leçons de dessin, tout comme il a appris à jouer du piano et du violoncelle. Par la suite aussi il a peint. Mais il est certain qu'à présent Kandinsky se heurte aux exigences du métier. A l'école d'Anton Azbé qu'il fréquente d'abord, les modèles lui répugnent, « sans expression » comme ils sont, « pour la plupart, figés, maladroits ». L'enseignement de l'anatomie

35. Vassily KANDINSKY, Bois gravé de *Klänge*, 1913.

ne l'attire pas davantage : « Je dessinais, notais le
cours et je respirais l'odeur des cadavres. » Tel est
le laconique souvenir qu'il gardera de sa première
école. Insatisfait, sur le conseil de Franz Stuck, un
autre peintre célèbre à l'époque, il prépare le
concours d'entrée à l'Académie — et il échoue.
Stuck néanmoins le prend dans son propre atelier
et, grâce à lui, Kandinsky a enfin le sentiment de
faire quelques progrès. Stuck le met en garde
« contre les extravagances de la couleur » et lui

conseille de travailler en noir et blanc en n'étudiant que la forme. Aussi lui apprend-il « à terminer un tableau, à le pousser jusqu'au bout ». Cinq ans ont ainsi passé, qui ne comptent guère dans l'œuvre de Kandinsky sinon comme apprentissage. Il a pu surmonter le conflit initial entre l'esprit académique de l'enseignement et son propre sentiment qui, lors de son échec à l'Académie, ne pouvait l'empêcher de considérer comme « insipides les dessins acceptés »... Il s'est pourtant fait aux conventions, autant qu'on puisse en juger d'après l'unique tableau connu de ces années, un portrait de femme, en tous points traditionnel, peint en 1900 et qui montre bien que Kandinsky a acquis du métier.

A partir de là ses recherches personnelles peuvent commencer. Il peint des toiles où l'ancienne fascination de la couleur reprend le dessus, que ce soit des sujets inspirés d'un Moyen Age imaginaire ou des paysages des environs de Munich. Partout, ce qu'il tient à exprimer n'est pas la chose peinte, mais ce qui émane d'elle, le « fabuleux », « l'heure du soleil couchant ». Il prend des croquis sur le vif, de préférence dans des lieux qui ont une atmosphère, comme le vieux Schwabig et plus tard Murnau, mais il ne tarde pas à constater qu'il travaille mieux de mémoire, dans l'atelier. Il est désormais « entré dans le vrai domaine de l'Art qui est — il le sait pertinemment — un domaine exclusif, comme celui de la nature, de la science. » Et dans ce domaine Kandinsky avance de révélation en révélation.

Dans les églises de Bavière et du Tirol, il retrouve le sentiment éprouvé autrefois dans les isbas de Vologda de la plénitude à laquelle la peinture peut atteindre. Leurs ornements, observe-t-il, « sont si puissamment peints que l'objet se dissout entre eux », et il s'attache à obtenir la même puissance dans ses tableaux, afin que devant eux le spectateur ait l'impression d'être *dans* la peinture. Il n'oublie pas non plus la lointaine leçon de Rembrandt. Avec le temps, il s'est aperçu en effet que dans les tableaux de Rembrandt il y a une « durée » : « Je me l'expliquais par le fait que pour saisir cette peinture, il fallait se pénétrer d'abord d'une de ses parties, ensuite de l'autre et qu'elle incorporait comme par enchantement un élément qui lui est étranger et qui semble au premier abord incompatible avec elle : le temps. » (De son propre aveu, cette découverte laissera des traces dans ses toiles jusqu'en 1908 environ.)

Kandinsky, on le voit, est de ces artistes chez lesquels l'intelligence critique est aussi aiguë que la puissance d'émotion. Extraordinairement sensible, il est capable de réfléchir avec une égale intensité sur ce qu'il éprouve. Et cette particularité de son tempérament, cette capacité de son esprit d'accueillir n'importe quelle impression et de l'analyser en l'élargissant, c'est elle précisément qui le conduira à l'art abstrait.

Un jour, un spectacle inattendu surprend Kandinsky : « C'était à l'approche du crépuscule, je revenais chez moi avec ma boîte de couleurs après une étude, encore tout plongé dans mon rêve et dans le souvenir du travail accompli, lorsque j'aperçus soudain au mur un tableau d'une extraordinaire beauté, brillant d'un rayon intérieur. Je restai interdit, puis m'approchai de ce tableau-rébus où je ne voyais que des formes et des couleurs et dont la teneur me restait incompréhensible. Je trouvai vite la clef du rébus : c'était un tableau de moi qui avait été accroché à l'envers. J'essayai le lendemain, à la lumière du jour, de retrouver l'impression de la veille, je n'y réussis qu'à moitié. Même à l'envers je retrouvais l' « objet »... Je sus alors expressément que les « objets » nuisaient à ma peinture. Un abîme effrayant s'ouvrait sous mes pas, tandis qu'en même temps s'offrait à moi une quantité de possibilités et toutes sortes de questions pleines de responsabilités, et la plus importante de toutes : « Qu'est-ce qui doit remplacer l'objet ? »

« Le danger d'une peinture décorative se dressait devant moi et l'inexpressive apparence de vie des formes stylisées ne pouvait que m'épouvanter. Ce n'est qu'après bien des années d'un travail patient, d'un effort constant de pensée, de nombreux essais prudents afin de développer l'efficacité des formes pures, de les vivre dans leur abstraction, de m'enfoncer de plus en plus profondément dans ces profondeurs insondables, que j'arrivai aux formes de peinture avec lesquelles je travaille aujourd'hui... Cela a duré très longtemps avant que je ne trouve une bonne réponse à cette question : Par quoi remplacer l'objet ? »

« DU SPIRITUEL DANS L'ART. » *Du Spirituel dans l'Art* que Kandinsky commence à écrire en 1910 et qu'il termine un an plus tard, n'est rien d'autre que la motivation de la réponse enfin découverte. Les intentions de Kandinsky sont claires. D'un côté, il désire insérer l'art abstrait dans la culture de l'époque, de l'autre, il tâche d'expliquer à son lecteur l'attitude du peintre devant les moyens d'expression abstraits. Et, en fin de compte, il nous renseigne avec une lucidité émue sur la manière dont il assume lui-même l'abstraction. D'abord pour tirer au clair la très subjective expérience qui est la sienne, pour lui donner des assises objectives, il s'appuie sur sa propre culture. Le peintre s'efface devant l'intellectuel que Kandinsky continue d'être. Il est le contraire du créateur limité à ses propres recherches. C'est un esprit ouvert, curieux, habitué à se tenir au courant — les lectures qu'il cite au passage touchent à tous les domaines, de la littérature à la science, en passant par l'ethnographie. Et comme sa solide formation, en particulier artistique et musicale, lui donne une grande sûreté de jugement, Kandinsky se livre sans réticences. Sa nature harmonieuse le préserve de tout excès et la franchise sans apprêts de sa pensée confère au *Spirituel dans l'Art* un ton et une vie, remarquables en dehors de sa valeur historique.

A travers les considérations d'ordre général qu'il esquisse au début du livre, le point de vue de Kandinsky apparaît sans équivoque. Il est persuadé qu'un grand tournant spirituel caractérise le nouveau siècle. « L'âme » est en train de « revenir à soi » après « l'écrasante oppression des doctrines matérialistes qui ont fait de la vie de l'univers une vaine et détestable plaisanterie ». « L'art, écrit Kandinsky, entre dans la voie au bout de laquelle il retrouvera ce qu'il a perdu, ce qui redeviendra le ferment spirituel de sa renaissance. L'objet de sa recherche n'est pas l'objet matériel, concret auquel on s'attachait exclusivement à l'époque précédente — étape dépassée — ce sera le contenu même de l'art, son essence, son âme... »

Plus encore que dans ces lignes, Kandinsky se révèle tributaire du climat fin de siècle et de ce spiritualisme diffus contre lequel précisément réagit le xxᵉ siècle, lorsqu'il entreprend l'éloge de la Société théosophique, en guise de confirmation de ses propres théories : Quel que soit le scepticisme qui l'entoure, « ce grand mouvement, affirme Kandinsky, n'en demeure pas moins un puissant ferment spirituel... C'est un cri de délivrance qui touchera les cœurs désespérés en proie aux ténèbres de la nuit. C'est une main secourable qui se tend vers eux et qui leur montre le chemin. »

Il est normal que de telles préoccupations aient amené Kandinsky à se tromper sur la portée de certains événements, même artistiques. Lui qui, d'habitude, juge son temps et ses contemporains avec tant de pertinence (n'est-elle pas lapidaire la définition qu'il donne de Picasso : « C'est sa hardiesse qui fait sa force »?), range à côté de Cézanne les préraphaélites anglais Rossetti et Burne-Jones, de même que Böecklin et jusqu'à Segantini; il voit chez ces artistes un même effort pour dépasser l'élément réaliste de la peinture et il leur accorde la même importance, alors que, si la postérité a fait un partage cruel, c'est bien entre eux, Cézanne d'un côté, au sommet – les autres, dans l'oubli.

Cette double (et humaine) appartenance de Kandinsky, à la fois au passé et à l'avenir, se reflète surtout dans le langage dont il se sert. Un languissant écho « des sons et des couleurs qui se répondent » plane sur ses écrits, malgré leur véritable contenu qui est tout autre. A l'aise dans une terminologie souvent crépusculaire, sa pensée, en vérité, ne fait que mettre en évidence le rôle de l'instinct dans la création artistique. Dans son effort pour saisir l'art de l'intérieur et aussi profondément que possible, Kandinsky libère l'instinct de toute la broussaille qui le dissimule, il le valorise, mais sans jamais prononcer le mot qui l'effarouche. Or, un des mérites du xxᵉ siècle sera de légitimer ce pouvoir irrationnel, et Kandinsky, dans le domaine de l'art, contribue grandement à cela même s'il ne s'en rend pas très bien compte. Mieux que personne il ressent la souveraineté de l'instinct pictural. Le seul fait d'avoir été un des premiers (avec Picasso) à apprécier la peinture du Douanier Rousseau, d'avoir acheté un tableau de lui avant 1910 et de l'avoir gardé toute sa vie, le montre bien. Pourtant il place l'activité du peintre sous le « Règne de l'Esprit » en vue de « l'époque de la Grande Spiri-

36. Kandinsky en 1912.

tualité » dont l'art de demain s'inspirera et il est heureux que Maeterlinck, un de ses auteurs préférés, ait le même pressentiment.

Quand on regarde ainsi chez Kandinsky la part de son être qui appartient à un passé révolu, comme si on touchait du doigt le temps qui fut le sien, par contraste, on ressent encore plus fortement l'envergure de son propre apport. Inséparable aujourd'hui de notre sensibilité, acquis une fois pour toutes, cet apport ne nous impressionne jamais autant que lorsqu'on le voit surgir sous les scories de son époque. On saisit alors toute la force qui retranche Kandinsky du passé et le propulse vers l'avenir.

Cette force se manifeste dans la seconde partie du *Spirituel dans l'Art* qui ne repose pas sur des idées reçues, mais sur l'intuition de Kandinsky. Dès qu'il laisse parler son expérience, un temps nouveau surgit sous sa plume. Persuadé, avec juste raison, que c'est « la puissance d'émotion » qui rend valable le message de l'artiste, il voit le noyau de l'œuvre d'art dans la « nécessité intérieure » et considère les couleurs et les formes en elles-mêmes comme les moyens les plus conformes à la nécessité intérieure, les plus purs quant à l'expression picturale d'une émotion. Cette question de pureté des moyens entraîne Kandinsky à comparer la peinture à la musique : « Depuis des siècles, observe-t-il, la musique est par excellence l'art qui exprime la vie spirituelle de l'artiste. Ses moyens ne lui servent jamais, en dehors de quelques cas exceptionnels où elle s'est écartée de son propre esprit, à reproduire la nature, mais à donner une vie propre aux sons musicaux. Pour l'artiste créateur qui veut et qui doit exprimer son *univers intérieur,* l'imitation, même réussie, des choses de la nature ne peut être un but en soi. Et il envie l'aisance, la facilité avec lesquelles l'art le plus immatériel, la musique, y atteint. On comprend qu'il se tourne vers cet art et qu'il s'efforce, dans le sien, de découvrir des procédés similaires. De là, en peinture, l'actuelle recherche de rythme, de la construction abstraite, mathématique et aussi la valeur qu'on attribue aujourd'hui à la répétition des tons colorés, au dynamisme de la couleur. »

Voilà pourquoi la première tâche du peintre, selon Kandinsky, est de prendre conscience des propriétés spécifiques de la couleur et de la forme. Cette prise de conscience, c'est la matière même du *Spirituel dans l'art,* sa raison d'être.

« Il est plus facile de peindre la nature que de lutter avec elle », note Kandinsky. Remarque qui a pour corollaire son absolue conviction que dans l'art « ce qui est voilé est plus fort ». Loin de toute inflexion symboliste, et par la seule acuité de son intelligence, il entreprend alors l'étude des moyens dont la peinture dispose. Ce qu'à son insu il veut arriver à saisir, c'est la conduite de l'instinct, ce qu'il tente d'ériger en système, c'est le mystère de sa puissance. Cependant, il croit avoir affaire à des correspondances spirituelles. Le fait que certains effets de couleurs ont pu être observés sur des animaux, le trouble, mais sa foi dans la valeur spirituelle de la couleur n'en est pas pour autant ébranlée. « La couleur recèle une force encore mal connue mais réelle, évidente, et qui agit sur tout le corps humain », déclare-t-il, et avec la certitude d'ouvrir la voie à cette connaissance encore balbutiante, il parle soudain de l'art, comme personne avant lui n'avait parlé :

« Les couleurs claires attirent davantage l'œil et le retiennent. Les couleurs claires et chaudes le retiennent plus encore : comme la flamme attire l'homme irrésistiblement, le vermillon attire et irrite le regard. Le jaune citron vif blesse les yeux. L'œil ne peut le soutenir. On dirait une oreille déchirée par le son aigre de la trompette. Le regard

clignote et va se plonger dans les calmes profondeurs du bleu et du vert. »

Ainsi Kandinsky passe en revue toutes les couleurs, leurs mélanges, leurs affinités et leurs oppositions. Il nous éclaire d'une façon si pertinente,
qu'il est difficile de faire un choix parmi ces pages
tant chacune d'elles compte :

« Le bleu apaise et calme en s'approfondissant.
En glissant vers le noir, il se colore d'une tristesse
qui dépasse l'humain, semblable à celle où l'on est
plongé dans certains états graves qui n'ont pas de
fin et qui ne peuvent pas en avoir. Lorsqu'il s'éclaircit, ce qui ne lui convient guère, le bleu semble
lointain et indifférent, tel le ciel haut et bleu clair.
A mesure qu'il s'éclaircit, le bleu perd de sa sono-
rité, jusqu'à n'être plus qu'un repos silencieux, et
devient blanc.

« La passivité est le caractère dominant du vert
absolu. Qu'il passe au clair ou au foncé, le vert ne
perd jamais son caractère premier d'indifférence et
d'immobilité.

« Le rouge, couleur sans limites, essentiellement chaude, agit intérieurement comme une
couleur débordante d'une vie ardente et agitée.
Dans cette ardeur, dans cette effervescence, transparaît une sorte de maturité mâle, tournée *vers
soi* et pour qui l'extérieur ne compte guère. [...]
Le rouge chaud, rendu plus intense par l'addition
du jaune donne l'orangé. Le mouvement du rouge,
qui était enfermé en lui-même, se transforme en
irradiations, en expansion.

« Le violet est un rouge refroidi au sens physique et psychique du mot. Il y a en lui quelque
chose de maladif, d'éteint et triste. C'est la raison,
sans doute, pour laquelle les vieilles dames le choi-
sissent pour leurs robes. Les Chinois en ont fait la
couleur du deuil. Il a les vibrations sourdes du cor

anglais, du chalumeau et répond, en s'approfondissant, aux sons graves du basson. »

Et enfin, le noir : « Comme un « rien » sans possibilités, comme un « rien » mort après la mort du
soleil, comme un silence éternel, sans avenir, sans
l'espérance même d'un avenir, résonne intérieurement le noir. En musique, ce qui y correspond,
c'est la pause qui marque une fin complète, qui
sera suivie, ensuite, d'autre chose peut-être, – la
naissance d'un autre monde. Car tout ce qui est sus-
pendu par ce silence est fini pour toujours : le cercle
est fermé. »

Après avoir ainsi fixé l'action de la couleur en
soi, Kandinsky s'étend sur ses possibilités d'accord
avec la forme, sur la relation, en somme, entre
forme et couleur : « Des couleurs « aiguës » font
mieux ressortir leurs qualités dans une forme poin-
tue (le jaune par exemple, dans un triangle). Les
couleurs ·qu'on peut qualifier de profondes se
trouvent renforcées, leur action intensifiée par des
formes rondes. Le bleu, par exemple, dans un
cercle. »

Et pour finir, la visée même de Kandinsky, où
l'on sent toute l'impétuosité qui l'anime : « Lutte
des sons, équilibre perdu, « principes » renversés,
roulement inopiné de tambours, grandes questions,
aspirations sans but visible, impulsions en apparence incohérentes, chaînes rompues, liens brisés,
renoués en un seul, contrastes et contradictions,
voilà quelle est notre *Harmonie. La composition qui
se fonde sur cette harmonie est un accord de formes
colorées et dessinées qui, comme telles, ont une existence indépendante procédant de la Nécessité Intérieure et constituant, dans la communauté qui en
résulte, un tout appelé tableau.* »

On ne saurait imaginer meilleure définition des
œuvres que Kandinsky exécute à partir de 1910.

Cette période extrêmement riche de son œuvre, qui reflète sa pleine maturité, va jusqu'à 1914. Deux étapes nettement distinctes l'ont précédée. D'abord les années d'apprentissage, de 1896 à 1900 et, ensuite, les années où le peintre commence à chercher son expression personnelle en faisant son choix dans les acquisitions de son époque.

Kandinsky est un artiste si lucide qu'il n'est pas nécessaire d'interpréter ses intentions. Il suffit de le lire : « Le problème de la lumière et de l'air chez les impressionnistes ne m'a jamais beaucoup intéressé. Il m'a toujours semblé que les savants propos échangés à ce sujet n'avaient pas grand-chose à faire avec la peinture. Beaucoup plus importantes m'ont paru les théories néo-impressionnistes qui, en somme, se rapportaient à l'action de la couleur et laissaient en paix le problème de l'air. » Si on ajoute à cet intérêt précis pour le néo-impressionnisme le fait que Kandinsky fit un séjour d'un an à Paris, en 1906, au moment même où les Fauves triomphent, les deux éléments qui caractérisent sa peinture à cette époque apparaissent clairement : s'il suit les idées des néo-impressionnistes quant à l'action de la couleur, l'intensité de sa palette ne cède en rien à celle des Fauves. De toute évidence, Kandinsky construit ses tableaux avec la couleur, soit qu'il procède par superposition de tons, soit qu'il emploie des mélanges obtenus au préalable sur la palette. Sa gamme est souvent insolite et la pâte luxuriante. Dans l'épaisse couche de peinture, progressivement la touche s'allonge et devient un coup de pinceau tendu, rapide ; des contrastes de lumière sillonnent ainsi, comme des éclairs, les paysages que Kandinsky peint à Paris, en 1906. Jusque-là, dans les toutes premières années du siècle, alternant les techniques, il a exécuté plusieurs tempera. A présent il s'en tient presque exclusivement à l'huile. Et c'est du maniement même,

37. Vassily KANDINSKY, *Église*, 1910.

du maniement matériel de la couleur que semblent surgir les formes de ses paysages de Murnau. Ces paysages où une résonance interne complète désormais l'image, constituent le préambule de ses premières œuvres abstraites.

Murnau, petit village aux alentours de Munich, que Kandinsky peint en 1908-1909, apparaît complètement transfiguré dans ses toiles. La tension de la touche et la construction par contrastes, sensibles l'une et l'autre dans ses tableaux précédents, animent maintenant la surface entière, Murnau est le lointain prétexte d'un choc de formes vivement colorées. Choc qui ira jusqu'à faire éclater la forme. La couleur déborde les limites des objets figurés. On dirait que sa propre force la pousse à se répandre. Vers 1910, pour composer son tableau, Kandinsky commence à se servir de grandes taches de couleurs, que les touches, en s'infléchissant, dirigent dans un sens ou dans l'autre. En même temps sa palette s'éclaircit, devient plus lumineuse. Un exemple typique de ce dernier moment figuratif dans la peinture de Kandinsky, au seuil même de l'abstraction, est le tableau *Église,* peint en 1910. Le clocher et le toit de l'église, ainsi que les troncs d'arbres, en bas à droite, sont encore nettement reconnaissables. Mais, ils ne se détachent pas des autres éléments de la composition, ciel, terre, végétation. Ensemble ils forment une unité qui frappe le regard. Le particulier, en disparaissant, a donné naissance à quelque chose de plus vaste. C'est le passage, selon le mot de Kandinsky, « du matériel au spirituel », ou si l'on veut, la disparition des catégories cérébrales sous le poids de la réaction immédiate des sens. Et il n'est pas étonnant que l'imagination de l'artiste en soit fortement stimulée.

Durant toute l'année 1910, avant et après sa première aquarelle abstraite, le monde extérieur persistera dans les tableaux de Kandinsky sous cet aspect ambivalent. Quand on considère à posteriori la lenteur avec laquelle il se détache de la réalité, cette prudente progression vers l'abstraction à l'intérieur même de la fougue qui caractérise sa peinture en ces années, on ne manque pas d'être surpris. Le comportement de Kandinsky nous semble contradictoire, hésitant quant à la suppression de l'objet, impétueux à l'extrême quant à sa transcription. Mais dès qu'on examine son œuvre de plus près, on s'aperçoit que l'impétuosité est, en fait, une conséquence de l'hésitation. Kandinsky redoute de tomber dans une forme sans signification. (N'avouera-t-il pas que la question pour lui à cette époque était de savoir « par quoi remplacer l'objet ».) Instinctivement donc, il tend à suppléer à l'apport extérieur par la force de l'émotion. Au fur et à mesure que cet apport, ressenti comme superflu, faiblit, le coup de pinceau redouble d'élan, et cet élan un jour finit par l'emporter. Les taches de couleurs et les traits jaillissent véritablement dans les aquarelles abstraites de Kandinsky avec une liberté qui fera école quarante ans plus tard. Le but du peintre – son évolution le montre – sera d'atteindre la même liberté dans ses tableaux. Mais comme dans le travail à l'huile, à la différence de l'aquarelle, le premier jet est très pauvre en comparaison des possibilités de la technique, il s'agira pour lui de restituer la valeur du premier jet en se servant de toutes les ressources de la peinture à l'huile, c'est-à-dire de faire concorder sa lenteur d'exécution avec la rapidité explosive de la sensation. C'est là que l'intelligence de Kandinsky lui sera d'un inestimable secours. A la faveur de la réflexion, il réussit à rendre synchrones le « temps extérieur » et le « temps intérieur », jetant ainsi les bases d'un art abstrait où n'intervient aucun des éléments décoratifs dont il redoutait tant l'intrusion.

Cette progressive mise au point d'une abstraction possible s'effectue de toile en toile, dans l'ensemble des tableaux qu'il exécute de 1910 à 1914 et qu'il répartit lui-même en trois genres différents. D'abord ceux qu'il appelle *Impressions* et qui représentent pour lui, comme le nom l'indique, des « impressions directes de la nature extérieure, sous une forme dessinée et peinte ». Il en réalise six, tous en 1911. Ensuite viennent les tableaux qui procèdent « d'expressions, pour une grande part inconscientes et souvent formées soudainement, d'événements de caractère intérieur »; ils portent le titre d'*Improvisations*. Numérotés dans l'ordre, de 1 à 35, ils s'échelonnent jusqu'en 1914. En troisième lieu, enfin, Kandinsky aborde ses œuvres les plus ambitieuses. Ce sont des « expressions qui se forment d'une manière semblable (aux *Improvisations*) mais qui, lentement élaborées, ont été reprises, examinées et longuement travaillées à partir des premières ébauches, presque d'une manière pédante », confesse-t-il et il ajoute : « L'intelligence, le conscient, l'intention lucide, le but précis jouent ici un rôle capi-tal. » Ces tableaux qu'il intitule *Compositions* sont tous de grandes dimensions et chacun d'eux résume les recherches successives de Kandinsky entre 1910 et 1913, date à laquelle il est allé suffisamment loin dans l'abstraction pour enfin « pouvoir considérer l'art et la nature comme des domaines absolument séparés ».

Si donc les premières *Compositions* sont encore liées au monde extérieur – (*Composition II,* 1910, évoque clairement des personnages placés ici et là, sur toute la surface du tableau) – les dernières, *Composition VI* et *Composition VII* qui datent l'une et l'autre de 1913, représentent déjà le plein épa-nouissement de l'abstraction. Pour chacune de ces peintures, Kandinsky exécute au préalable des croquis et des esquisses à l'aquarelle encore plus nombreux que pour ses autres tableaux. (Il existe des croquis même pour les *Improvisations* contrai-rement à ce que le titre pourrait laisser croire. C'est bien une preuve de plus que Kandinsky, en cette période, avance avec d'infinies précautions.) A aucun moment il n'improvise. De surcroît, il est intimidé par la peinture, presque à la manière d'un romantique : « Le mot « composition » me paraissait toujours émouvant, écrit-il dans *Regard sur le Passé,* et je me proposais comme but de ma vie, de peindre une « composition ». Ce mot agissait sur moi comme une prière. Il me remplissait de respect. » Cet aveu donne une idée de l'importance que les *Compositions* ont à ses propres yeux et laisse supposer l'atten-tion, la ferveur contrôlée dont ils ont été l'objet. Le développement de chacune que l'on peut étudier d'esquisse en esquisse, nous permet de noter que déjà en 1910, l'ensemble s'organise à partir d'un noyau abstrait, comme il apparaît clairement lorsqu'on compare le tout premier croquis pour *Compo-sition II* et le tableau définitif. On constate ainsi que la vision initiale de Kandinsky ne comporte que le mouvement général de la composition. Hâtive-ment il indique, par quelques flèches, certaines directions ascendantes, descendantes, rotatoires que les formes devront suivre. Plus que le résultat esthétique, ce qui lui importe dans le croquis, c'est de fixer dans sa totalité, la tension, l'émotion qui le poussent à réaliser le tableau. Après viendront s'ajouter les détails.

Tel est, dans l'ensemble, le chemin qui conduit Kandinsky à une abstraction non plus spontanée, mais réfléchie – celle des grandes *Compositions* de 1913 que l'on considère, à cause de leur richesse chromatique et structurale, comme des sommes.

Après 1913, jusqu'à la fin de sa vie, à deux ou trois reprises seulement, Kandinsky donnera à ses tableaux le titre de *Compositions.* Le mot toutefois a cessé d'exercer sur lui le même attrait. Entré, une fois pour toutes, dans l'univers de l'abstraction, il peut l'explorer sans anxiété. Sa peinture *vit,* elle ne peut pas être confondue avec la décoration. Les couleurs foisonnent, les formes se perdent et se retrouvent, une vibration et un mouvement de vie accueillent le regard. Par goût personnel on peut préférer la luminosité tendue de certains de ses tableaux d'avant 1913, aux vastes surfaces blanches d'où toutes les autres couleurs semblent sourdre. Aucun peintre jusque-là n'avait confié au blanc le rôle de construire le tableau, à part égale avec les rouges, les bleus et les jaunes, pris tous au sommet de leur force. Si cette période de la peinture de Kandinsky (connue comme sa « période drama-tique ») possède un souffle et un éclat qui par la suite se résorbent, la stabilité « classique » que son œuvre atteint par la suite, n'en garde pas moins un caractère novateur.

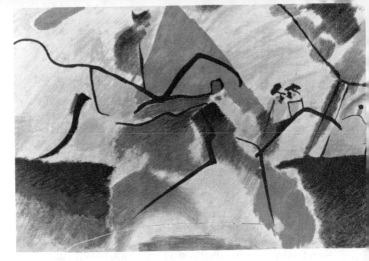

38

39

Vassily KANDINSKY. 38. *Impression V* (Parc), 1911; 39. Croquis pour *Improvisation 14*
1910; 40. *Improvisation 20*, 1911.

En 1914, à la déclaration de la guerre, Kandinsky quitte l'Allemagne et rentre à Moscou. Cet homme qui aime la vie, qui aime par-dessus tout la sérénité d'esprit, est profondément affecté par les événements. Au travail intense des années 1910-1914 succède une inhabituelle accalmie. Dans le carnet où, depuis 1900 il prend soin d'inscrire ses œuvres au fur et à mesure qu'il les termine, sous l'année 1915 il note : « Aucune peinture. » Cela donne les dimensions de la crise qu'il traverse. Deux petites aquarelles, c'est tout ce qu'il a produit pendant l'année. Puis, après une activité très ralentie en 1916-1917, la même note revient pour l'année 1918 : « Aucune peinture. » En 1917, il a épousé Nina de Andréevsky (après un divorce et après la fin de sa liaison avec Gabriele Münter, femme peintre qu'il avait connue à Munich).

En cette même année 1917, la Russie est secouée par la Révolution d'Octobre. L'homme d'action chez Kandinsky reprend le dessus. Ce côté de son caractère s'était déjà révélé pendant son séjour à Munich.

40

41

42

Vassily KANDINSKY. 41. Dessin pour *Composition II*, 1910; 42. *Composition II*,
1910; 43. *Composition VI*, 1913.

En 1901, il y avait fondé le groupe « Phalanx », en
1909 le « Neue Künstlervereinigung » (Nouvelle
Union des Artistes), toujours en vue de réagir contre
l'esprit académique, et, enfin en 1911, avec son ami
le peintre Franz Marc, il avait publié le fameux
Almanach du *Blaue Reiter (Le Cavalier bleu)* qui
reste un des grands événements artistiques du siècle.
Dans l'Almanach, ainsi que dans les deux expositions organisées sous les auspices du *Blaue Reiter,*
Kandinsky affirmait sa position esthétique, préco-
nisant la synthèse des arts — idée qui lui était particulièrement chère et à laquelle, estimait-il, il fallait
préparer le public. L'entreprise du *Blaue Reiter*
était, du reste, entièrement dirigée dans ce sens.
Si la guerre avait mis fin aux projets de Kandinsky,
la Révolution russe (il le crut un moment), lui ouvrait de nouvelles possibilités. En 1918, il devient
membre du Département des Beaux-Arts au Com-
missariat populaire à l'Instruction publique et professeur aux ateliers d'art de l'État. En 1919, il fonde
le musée de Culture artistique à Moscou et participe à l'organisation de nombreux musées en province. En 1920, il est nommé professeur à l'Université de Moscou. En 1921, il fonde l'Académie des

Sciences artistiques. Les exigences de la Révolution cessent cependant de correspondre à ses vues. A la fin de 1921, il quitte son pays et revient en Allemagne.

Pendant les années passées en Russie, trop absorbé par la tâche qu'il s'était donnée de faire accéder le peuple à la culture, Kandinsky a peu travaillé pour lui-même. A-t-il cru nécessaire de mettre sa propre peinture à la portée de tous? — en 1917 et puis en 1920, il exécute quelques peintures figuratives tout en peignant des œuvres abstraites. De retour en Allemagne, il reprend sa vie d'artiste. Invité à venir enseigner au Bauhaus, il y retrouve Klee, qu'il avait connu autrefois à Munich. En 1925, lorsque le Bauhaus se transfère de Weimar à Dessau, les maisons que ces deux peintres occupent sont attenantes et ce voisinage se transformera en une solide amitié.

Au Bauhaus, Kandinsky a retrouvé l'harmonie d'une existence propice à son œuvre. Il est entré dans ce que l'on pourrait appeler la « période classique » de sa peinture. De même que pour la période précédente, un texte écrit porte témoignage de son évolution : *Point Ligne Surface (Punkt und Linie zu Fläche)* qui paraîtra en 1926. Si *Regard sur le Passé* révélait les voies souterraines de l'art abstrait, si le *Spirituel dans l'art* en était la justification, ce troisième et dernier livre de Kandinsky n'est autre que l'exposé de sa méthode. En quinze ans la situation de l'art abstrait a radicalement changé. L'abstraction est désormais une forme d'art admise. En 1917, des artistes se sont groupés en Hollande autour de Mondrian et ont entrepris la défense de l'art abstrait dans la revue *De Stijl*. En Russie, dès 1916, Malévitch s'est fait le porte-parole des tendances abstraites, en créant le « Suprématisme ». Enfin, les recherches de Tatline et, plus tard, celles des « Constructivistes », ont placé également la sculpture sous le signe de l'abstraction. La forme abstraite, en somme, n'a fait que gagner du terrain et au moment où le livre de Kandinsky paraît, elle est en pleine expansion. C'est ce qui explique le ton de ce nouveau livre qui se présente comme un véritable traité de la peinture abstraite destiné, pour un bon nombre de pages, aux seuls spécialistes.

Méthodique par nature, Kandinsky devient sans effort didactique. Il a la vocation du maître, mais elle ne diminue pas son originalité du fait même que son enseignement porte sur une matière en train d'être explorée. Ainsi la lecture de *Point Ligne Surface,* si elle reflète fidèlement l'évolution de Kandinsky, n'est pas moins importante pour la compréhension de l'abstraction géométrique dans son ensemble.

« POINT LIGNE SURFACE. » Cette fois, le but de Kandinsky ne laisse pas de doute : il s'évertue à construire une théorie de l'art sur des bases scientifiques. Il constate avec regret que la peinture « possède le minimum d'une terminologie exacte »; il se rend bien compte que dans de telles conditions sa tâche sera « extrêmement difficile et souvent impossible »; à maintes reprises il se plaint que les notions dont il dispose soient si vagues et, pourtant, il croit fermement que l'esthétique finira bien par forger des termes précis. L'heure est venue pour elle, selon Kandinsky, « d'entreprendre une analyse de toute l'histoire de l'art par rapport à ses éléments » et lui, le premier, voit son texte comme une contribution à cet effort. A partir de son expérience, tirée au clair jusqu'au schéma, il se propose de dégager des théories plastiques malgré l'état rudimentaire du langage. Engagé dans un tel propos,

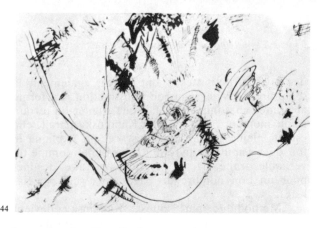

44

le style de Kandinsky a complètement changé.
Aucune trace du spiritualisme fin de siècle, mais
une recherche qui se veut « scrupuleusement exacte »
et qui recourt d'ailleurs à des exemples graphiques
afin d'être plus explicite. Les lectures citées comme
références, comportent des ouvrages sur le développement de la technique picturale, sur la valeur
des signes, sur la botanique, la biologie, la formation des cristaux. Kandinsky puise dans l'actualité
scientifique des repères pour ses investigations.
Son ambition de peintre, et aussi de professeur au
Bauhaus, n'est-elle pas d'introduire dans la pratique de l'art, la rigueur de la science? Dans cet
esprit, il soumet à une analyse complète les moyens

45

46

47

Vassily KANDINSKY. 44. Dessin à la plume pour *Composition VII*, 1913;
45. Étude pour *Composition VII*, 1913; 46. Aquarelle pour *Composition VII*,
1913; 47. *Composition VII*, 1913.

d'expression de l'art, en partant de l'élément le plus petit, le point, et en procédant méthodiquement vers la ligne et, de là, vers la surface peinte.

L'examen serré auquel Kandinsky se livre apparaît dès les premières pages. Le point géométrique, invisible et immatériel, semblable comme valeur au zéro, « est la forme interne la plus réduite. Il est tourné vers lui-même », écrit Kandinsky et avec l'acuité qui lui est propre, il ajoute : « C'est pourquoi il a trouvé sa première forme matérielle dans l'écriture; il appartient au langage et signifie le silence. [...] Il reste en place, sans aucune tendance à bouger, ni horizontalement, ni verticalement, ni en avant, ni en arrière. » L'effort de précision de Kandinsky est on ne peut plus grand. Pourtant, sa sensibilité d'artiste demeure sous-jacente et, quand elle affleure, l'épanchement étant maîtrisé par la sobriété, elle s'exprime avec une admirable concision : « Si le désert est une mer de sable formée uniquement de points, l'indomptable et rageuse capacité errante de ces points « morts » ne nous effraie pas en vain. »

Une action analogue, le point, cette infime partie de la forme, peut l'avoir aussi dans l'art. Mais où passe la frontière entre le point et la ligne? se demande Kandinsky, et il répond : dans le « temps qui se matérialise en espace ». La ligne est temps par rapport au point, parce qu'elle est « une succession de points ». « Elle est le tracé d'un point en mouvement. » Ainsi se penche-t-il sur les particularités de la ligne et après avoir étudié la diminution ou l'augmentation de force qui apparaissent si la ligne est droite ou courbe, il arrive à cette conclusion où se manifeste toute la subtilité de sa pensée : le contraire de la droite n'est pas la ligne brisée, mais la courbe, à cause de la souplesse accomplie qui est la sienne, à cause de sa « maturité ».

Pour mieux faire ressortir la différence entre

le point et la ligne, ici comme dans le *Spirituel dans l'Art,* Kandinsky ne manque pas de se référer à la musique : « L'orgue est aussi typiquement linéaire, observe-t-il, que le piano est d'un caractère à base de points. » Il parlera aussi de la danse, dont le déroulement s'inscrit dans des lignes. Il citera la tour Eiffel comme le parfait exemple d'une construction élevée en lignes, où la ligne a éliminé toute surface.

Après avoir longuement exploré les multiples propriétés et fonctions de la ligne, Kandinsky s'attaque à la surface qu'il définit d'emblée : « Tandis que la droite représente la négation absolue de la surface, la courbe en *contient le noyau.* [...] Tôt ou tard elle se retrouve à son point de départ. Le commencement et la fin s'unissent et disparaissent au même moment. » On se trouve alors devant « le cercle, la surface originelle » par excellence, « la plus instable » matériellement (quand on veut la fixer à l'arrêt) et en même temps « la plus stable » spirituellement (en tant qu'espace circonscrit).

Porté par son désir de tout clarifier, de tout classifier, Kandinsky avance résolument de page en page — mais lorsqu'il doit enfin étudier de près la nature de la surface peinte, il bute contre l'indicible. La limite qu'il tente de faire franchir à la parole, son œuvre seule la franchit pour témoigner de ce qui est au-delà.

Au cours de cette seconde phase de son évolution qui débute vers 1922 pour s'achever avec sa vie, Kandinsky est guidé par la conscience qu'il a prise de l'art abstrait, « de ses droits et de ses devoirs » — le mot est de lui. Il est convaincu que les formes sont des variations sur un thème unique, que sous l'action des contraires, à travers les similitudes et les oppositions, leurs possibilités infinies découlent d'un seul principe. Il est décidé à ne s'occuper désormais que du principe. Tout comme le décoratif l'effrayait lors de ses premiers pas dans l'abstraction, de même il redoute maintenant qu'une composition abstraite libre ne reproduise certains aspects internes du réel (conformations de cristaux, mouvements vibratoires des plantes — exemples, tous, qu'il cite lui-même). Sur ce point Kandinsky est catégorique : « Il est impensable, affirme-t-il, de mettre l'intérieur d'un monde dans l'extérieur d'un autre. » L'art abstrait doit trouver l'équivalent de ce qui dans la nature est organiquement nécessaire. Entre ces deux mondes, le réel et l'art, parallèles et affrontés, il ne peut y avoir de contact. L'art doit dominer le réel. Toute reprise d'un élément naturel dans une composition abstraite est une faiblesse. Par crainte donc d'aboutir involontairement à la reproduction d'un quelconque aspect réel, qui serait une faille dans le système absolu de l'abstraction, Kandinsky choisit l'obéissance au principe. Le raidissement qui s'ensuit dans les formes de sa peinture est un acte délibéré, dicté par l'évolution entière de Kandinsky, bien plus que le résultat de son enseignement au Bauhaus. Sans doute cette rationalisation du processus créateur est-elle l'inévitable rançon de la lucidité du peintre, devenue extrême avec l'âge. L'absence de spontanéité qui en résulte, selon certains, confère aux tableaux de Kandinsky une perfection savante qui ne soutient pas la comparaison avec ses œuvres antérieures. C'est possible. Mais l'imagination dont il fait preuve jusqu'au dernier jour est étonnante.

Dans un jeu de courbes et de droites, travaillant avec le tire-ligne et le compas, attentif à nuancer sa palette au point qu'aucune couleur ne se répète d'un tableau à l'autre, il parvient à concilier les exigences du principe pour lequel il a opté et celles de son cœur. Kandinsky a compris que le format dicte la composition d'une peinture abstraite, il connaît mieux que personne les vertus de la couleur, il a longuement médité, puis expliqué, défini, les propriétés de la forme et sans doute parce que cette science, dans son cas, n'est pas apprise, mais découverte, elle ne l'encombre pas. Elle n'entrave pas le déploiement des formes, elle n'empêche pas leur renouvellement. Seulement elle exclut toute incertitude. Le tableau de Kandinsky ne court plus aucun risque — c'est le seul indice du grand savoir qui préside à son accomplissement.

Rarement, en effet, une peinture donne l'impression d'être maîtrisée jusque dans ses moindres détails comme celle de Kandinsky, et l'on serait tenté de dire maîtrisée d'avance, à tel point qu'elle paraît aller à l'encontre de la création artistique qui est aventure. L'inconnu que le tableau dévoile n'affecte ni le peintre ni sa démarche : c'est l'effet et la preuve de la suprématie de la forme abstraite, telle qu'il l'avait voulue. Le monde de l'harmonie parfaite que le *Spirituel dans l'Art* croyait promis aux hommes, était venu, mais seulement dans la peinture. Attaché à cet idéal qui à l'origine avait été pour lui plus qu'un idéal esthétique, Kandinsky en fait aussi une carapace, lorsque les événements politiques viennent bouleverser son existence.

En 1933, le gouvernement nazi ferme le Bauhaus, Kandinsky quitte l'Allemagne et vient s'installer en France, mais le changement de pays et de milieu n'a guère d'influence sur son œuvre. Dans son atelier de Neuilly-sur-Seine (où il travaillera jusqu'à sa mort, en 1944), les tableaux qu'il peint donnent la même impression de sérénité. Leurs surfaces tendent maintenant à se compartimenter, leurs formes à s'amenuiser. Quant aux couleurs, jusqu'au bout elles ne cessent de s'enrichir de nouvelles nuances, de s'unir dans des accords qu'aucun peintre n'avait jamais tentés. L'idée d'ensembles multiples, tels des univers, semble occuper son esprit. A travers la variété de ses tableaux, le but de sa peinture demeure le même,

48

49

Vassily KANDINSKY. 48. *Dureté molle,* 1927; 49. *Dessin,* 1930; 50. *Compensation instable,* 1930.

celui « de trouver la vie, de rendre perceptibles ses
pulsations, d'établir les lois qui la régissent », comme
il l'a lui-même énoncé à la fin de son livre *Point
Ligne Surface,* en guise de conclusion à sa théorie
de l'art abstrait.

51

Vassily **KANDINSKY**. 51. *Rouge transversal*, 1931; 52. *Compensation rose*, 1933.

52

53. Kandinsky en 1938 dans son atelier à Neuilly.

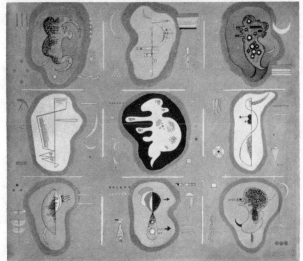

54

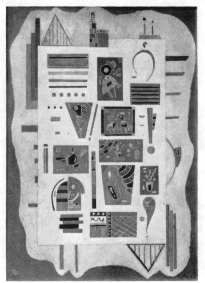

55

Vassily KANDINSKY. 54. *Chacun pour soi*, 1934; 55. *Conglomérat*, 1943.

PIET MONDRIAN

La singularité de l'œuvre de Mondrian, la forme d'abstraction qu'il conçoit, la latitude du geste créateur qu'il supprime, les limitations qu'il impose aux moyens de la peinture, les pouvoirs de l'imagination qu'il enferme dans l'imperceptible, toute la conduite de cette œuvre, sa démarche et son but, l'approche qu'elle implique, agissent sans délai sur le spectateur. A la vue des tableaux de Mondrian ce qu'il y a d'extrême en eux, ou bien déroute, ou alors fascine. Toute réaction intermédiaire est exclue. Ou bien on considère qu'une abstraction si outrancière sacrifie les possibilités de la peinture — reproche que l'artiste avait souvent entendu de son vivant —, ou alors, on a le sentiment que ce laconisme de la forme représente la plus haute expression plastique, sa quintessence, pour une fois, dévoilée. Mais dans l'un et l'autre cas, que l'on considère l'abstraction de Mondrian comme au-delà ou en deçà de la peinture, le problème est le même : ses tableaux cadrent mal avec nos habitudes, ils sortent de l'expérience que nous avons de la peinture ou n'y rentrent pas. Ils sont autre chose par excès ou par défaut.

Étrangeté de Mondrian : dans sa manière de concevoir l'abstraction, excès et défaut se font pendant, symétriques conséquences de l'ambition d'un peintre qui poursuit un rêve éthique avec des moyens d'expression esthétiques. Cette incidence des fins sur des moyens de nature différente, c'est elle qui confère au langage de Mondrian son caractère à part dans la peinture contemporaine, dans la peinture en général. Le parti pris qui règle ses tableaux les entraîne vers les limites où ils se tiennent — est-ce les limites ou les origines de la peinture? — ils s'y maintiennent avec persévérance, dans une sorte d'aura qu'ils ont créée — n'était-ce pas leur but? — cette aura suscitée par la surface peinte qui coupe court aux sortilèges de la peinture en vue d'un ordre supérieur. Cette transmutation de valeurs, Mondrian l'a ardemment voulue dans son œuvre. Donner à l'art une rectitude, telle a été à ses yeux la mission de la forme abstraite. Mission, au sens du mot que seul un théosophe comme lui pouvait entendre. Dès qu'il touche, vers 1914, à l'abstraction pure, elle assume pour lui la signification d'une mission à remplir. Il y consacrera le reste de sa vie, jour après jour, instant après instant, avec l'inébranlable et calme ferveur de celui qui sert une grande cause. C'est que la peinture, telle qu'il la conçoit, libère Mondrian de ses démons. Il y est engagé non seulement avec sa foi, ses convictions, ses dons, mais aussi avec tous ses complexes. Le calvinisme strict dans lequel il a été élevé se confond avec l'emprise du père sur ce fils soumis; l'étouffement et l'impossible révolte, toute la partie trouble de l'homme, si elle se décante dans la peinture, si elle trouve la voie du salut dans la forme, c'est en laissant de profondes traces sur le peintre. Par le biais de la théosophie, Mondrian prend exactement le contre-pied du puritanisme. L'esprit puritain n'avait-il pas dissocié éthique et esthétique, jetant un voile sur l'art comme sur un plaisir coupable? La tâche de ce peintre qui avait songé un moment à devenir prêtre, sera de les unir et pour que le beau et le bien puissent faire un, il poussera la forme vers la plus grande pureté possible. La pureté, comme si elle était la garantie de la fusion de l'esthétique et de l'éthique, il ne cessera de l'épurer dans ses tableaux, nous donnant ainsi la preuve majeure que, pour lui, la beauté est une valeur morale à laquelle la peinture n'accède qu'à grand-peine.

Voilà pourquoi, si l'on veut comprendre le peintre, il est indispensable de connaître l'homme, de le surprendre dans sa vie de tous les jours avec ses habitudes et ses manies, tel qu'il apparaît grâce aux témoignages de ses contemporains et, en particulier, aux souvenirs émus de Michel Seuphor. Je dis surprendre, car Mondrian est un homme secret qui fuit les confidences. Son horreur de la curiosité d'autrui n'allait-elle pas jusqu'à le pousser à changer souvent de boulanger et d'épicier pour ne pas être reconnu? Sur sa vie il laisse planer un silence voulu. Quelques aveux percent dans ses écrits, mais on ne les saisit que lorsqu'on sait à quoi ils se rattachent, tellement ils sont diffus dans des propos d'ordre général. L'unique confession, la silencieuse confession de Mondrian est inscrite dans sa peinture. Et c'est elle que nous allons tenter de lire.

LA VIE DE MONDRIAN. Trois événements peuvent nous aider à voir clair dans le caractère de Mondrian : son hésitation, entre dix-huit et vingt ans, entre la carrière de peintre et celle de prédicateur; l'étude approfondie de la théosophie qu'il entreprend dix ans plus tard, en 1899-1900 et, enfin, le choc qu'il reçoit en découvrant le cubisme à son arrivée à Paris, en 1912, alors qu'il a déjà quarante ans.

Ces trois événements littéralement s'emboîtent l'un dans l'autre, forment un unique engrenage qui donne à la vie de Mondrian l'apparence d'un mouvement continu et régulier. Chez cet homme qui marche dans la vie sans écarts et sans repentirs, droit vers le but qu'il s'est proposé, toujours égal à lui-même, toujours sûr de son but, il est difficile d'imaginer un drame, si toutefois certains faits, insignifiants de prime abord, notés par ses amis, ne trahissaient pas un curieux malaise — comme cette tulipe artificielle qu'il tenait dans un vase, bien en vue dans son atelier parisien : ses feuilles, il les avait peintes en blanc. Comme ce geste qu'il eut, une fois chez Kandinsky, en 1933, et une autre fois chez Gleizes, changeant de place à table pour tourner le dos à la fenêtre et ne pas voir les arbres. Comme son refus de se rendre en Hollande où son soixantième anniversaire devait être officiellement fêté et la raison qu'il finit par donner parce qu'on le soupçonnait d'avoir du ressentiment contre son pays : « Il y a tous ces prés ! murmura-t-il, il y a tous ces prés ! »

Une telle réaction devant le vert n'est pas seulement le fait d'un œil hypersensible. Au contraire, si on l'interprète comme un refus d'entendre l'appel de la nature, elle peut nous faire comprendre sous l'impassible surface du caractère de Mondrian, les motifs susceptibles d'avoir déterminé une pareille attitude. Mondrian a placé sa vie sous le signe de l'esprit — l'ordre de sa peinture, il va jusqu'à l'imposer au lieu où il vit (il suffit de voir son atelier), mais, pour cet ordre (maintenu, disent des visiteurs amis, au prix d'un troublant désordre dans une pièce contiguë), la vue de la nature est insoutenable. La force de l'esprit qui a été chez Mondrian d'abord inquiétude métaphysique, déviée vers l'action par la théosophie et résorbée dans la peinture sur l'exemple du cubisme, cette force a triomphé, mais en refoulant la nature. Non en la maîtrisant. Et la nature est devenue cette part non vécue de la vie qui fait peur à Mondrian — cette pièce qu'il n'habite pas, attenante à son atelier, pleine de désordre, où certaines photos surprennent le regard. On peut lire dans ses écrits : « L'apparition naturelle, la forme, la couleur naturelle, le rythme naturel, les rapports naturels eux-mêmes,

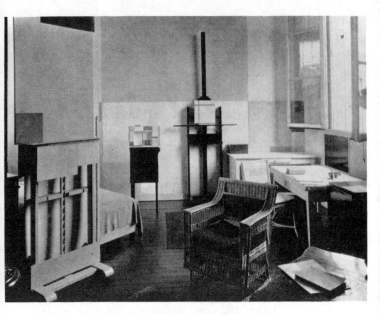

56. L'atelier parisien de Mondrian.

dans la plupart des cas, expriment le tragique. » Ou encore : « Tout sentiment, toute pensée individuelle, toute volonté purement humaine, tout désir particulier, toute espèce d'attachement en un mot, conduisent à la représentation tragique et rendent impossible la pure plastique de la paix. »

Sous « l'anachronique calme » de Mondrian, dont parle son vieil ami Oud, sous sa proverbiale égalité d'humeur, le mot tragique qui revient avec insistance ne recèle-t-il pas un déséquilibre affectif qui a été résolu, mais par transfert sur le plan de l'art? Là, il est devenu ordre, ordre extrême et, de là, il s'est étendu, il a recouvert la vie de Mondrian. Ainsi l'homme s'est-il accroché à l'équilibre qu'il reçoit de sa peinture, équilibre fanatique mais vulnérable, fuyant toute image qui rappelle le désordre initial. Fuyant le vert. Appelant tragique tout ce qui a trait à la nature.

L'enfance, le milieu familial, l'éducation du peintre laissent voir le refoulement de l'instinct qui a marqué pour toujours son existence. A l'origine, la personnalité de son père. « D'un abord franchement désagréable, aux dires des amis de jeunesse de Piet, son père était un homme sentencieux, très froid d'aspect et qui imposait à tout le monde une volonté sans réplique. » Sa rigueur calviniste, mêlée à l'intransigeance autoritaire de l'instituteur qu'il était, expliquent cette volonté bornée que son fils subit dans le petit monde d'un village entouré de prés, Winterswijk, où la famille de Mondrian est venue s'installer en 1880. Piet (né en 1872 à Amersfoort) avait alors huit ans et il y vivra jusqu'à ce qu'il décide enfin d'aller étudier la peinture à Amsterdam, en 1892, au bout de ce qui a bel et bien été une crise spirituelle, mais dont on ignore tout. A défaut de renseignements, on peut seulement supposer ses motifs, les déduire des faits.

A quatorze ans déjà, Mondrian a le sentiment de sa vocation d'artiste. Dans sa famille il y a un peintre, son oncle paternel qui vient de La Haye à Winterswijk pour travailler sur le motif. C'est de lui que Piet reçoit ses premières leçons. Mais la volonté de son père est autre. Celui-ci doit peu apprécier les dons de son fils, d'autant plus qu'il dessine très bien lui-même. De surcroît, il a décidé que son fils fera sa carrière dans l'enseignement. Devant la force de son père, Piet est seul. (De sa mère, sans doute complètement effacée, nous ne savons rien, sinon que son fils avait de l'affection pour elle.) A l'occasion de cette divergence sur sa future carrière entre son père et lui, sa soumission apparaît et, du même coup, son caractère se révèle. Toute révolte est sapée en lui, mais il a une suite dans les idées, une obstination, une sorte de volonté passive qui résiste malgré la soumission. C'est elle, d'ailleurs, qui, chaque fois, le sauvera, comme elle a dû déjà compter dans le compromis auquel père et fils arrivent : Piet préparera le diplôme pour l'enseignement du dessin. En 1889, à dix-sept ans, il obtient ce diplôme. Puis, au lieu de chercher une place, il consacre encore trois ans de travail assidu pour obtenir un second diplôme qui lui donne, cette fois, le droit d'enseigner le dessin dans les écoles secondaires. Mais quand il se rend dans la petite ville où il est nommé et qu'il voit le « sombre bâtiment de l'école », il s'enfuit.

Mondrian recule devant ce qu'il n'a pas choisi. Il fait donc acte d'insoumission avec le sentiment de culpabilité qui s'ensuit. C'est alors qu'il cherche refuge dans la religion. Il veut devenir prêtre — ce qui n'est autre que l'inconscient besoin de réconciliation avec son père, mais celle-ci n'est possible qu'au prix de la peinture. Sacrifice que Mondrian ne se sent pas la force de faire. La peinture, aggravant son sentiment de culpabilité, devient ainsi le contraire de la paix intérieure, et lorsqu'il se rend à Amsterdam, en 1892, et s'inscrit à l'École des Beaux-Arts, il a choisi contre son père. Or, son père qui l'a élevé dans le calvinisme le plus sévère est le symbole de ses propres assises morales. Son choix est par conséquent un choix contre le bien. Avec l'arrière-goût d'un péché commis Piet Mondrian apprend à peindre. Comme le veut l'enseignement académique, il apprend à copier la nature. « Mon père étant hostile, d'autres gens payaient mes études », se borne-t-il à dire dans une courte notice biographique qu'il rédigea vers la fin de sa vie.

A la surface, rien de cette crise ne transparaît. Souvent, le dimanche, Piet et ses frères qui étudient également à Amsterdam rentrent chez eux à Winterswijk. Aucune explosion de la part de Piet. Lent, silencieux, replié sur lui-même, il cherche sourdement la voie du salut. La voie du salut pour lui et pour la peinture. La peinture a beau avoir l'aspect trompeur de la chair, de la nature, le calviniste de vingt-deux ans, le futur peintre doit à tout prix être absout — et elle avec lui. S'il avait cherché une justification, c'est du côté de la culture qu'il se serait tourné, alors qu'il se tourne, une fois de plus, vers la religion. Son père a trop pesé sur lui, c'est envers lui qu'il se sent coupable, c'est lui le bien par contraste avec la peinture-nature qui est le mal, c'est lui l'esprit et c'est en son sein que le fils demande à retrouver la paix. De tout son cœur Mondrian se lance dans la théosophie, qui est en vogue à l'époque. Avec toute son intelligence il entreprend, dès 1892, l'examen de ses théories, pour enfin devenir membre de la Société théosophique hollandaise dix-sept ans plus tard, en 1909.

MONDRIAN ET LA THÉOSOPHIE. Quand on sait les motifs qui ont poussé Mondrian vers la théosophie et qu'on voit, d'après les dates, combien son adhésion à la Société théosophique est un acte réfléchi, on ne peut pas s'empêcher de s'interroger sur un tel engagement.

De Mondrian lui-même nous n'avons point de confidences à ce sujet, sinon quelques allusions, par bribes. Une fois (cela se passait à Paris vers 1930) il prêta à Michel Seuphor un livre de théosophie et quand celui-ci voulut le lui rendre, il lui dit qu'il n'en avait pas besoin. Il possédait lui-même un second exemplaire. Or, la chose est d'autant plus significative que Mondrian ne gardait pas de livres autour de lui. Il n'y avait « même pas un embryon de bibliothèque dans son atelier », observe Seuphor. Remarque qui en dit long sur Mondrian. N'est-ce pas l'image de l'homme qui a trouvé sa vérité, du sage qui se suffit dans sa pensée?

Une autre fois, en 1934, dans une lettre à Seuphor, il évoque les « grands initiés ». Vers la fin de sa vie, en marge d'un texte déclarant mortes les religions, il note : « Mais tant de gens y trouvent encore secours. »

Les faits cependant parlent à la place de Mondrian. A sa mort, on retrouva « parmi les rares imprimés qu'il avait conservés, deux opuscules théosophiques en néerlandais, tous deux publiés avant 1914 ». Un autre témoignage nous apprend qu'en 1916, dans son atelier de Laren, il avait accroché au mur une photographie de Mme H. P. Blavatsky, fondatrice de la première Société théosophique et auteur des ouvrages de base de la théosophie. On sait, enfin, qu'en ces mêmes années habitait à Laren l'écrivain théosophe H.J. Schoenmaekers et que Mondrian allait souvent lui rendre visite pour s'entretenir avec lui. (Le livre qu'il prêta plus tard à Seuphor était précisément un ouvrage de Schoenmaekers.)

A partir de ces indications fragmentaires, on peut tenter de retracer l'itinéraire spirituel de Mondrian. La théosophie, incontestablement, a tout pour le retenir. Doctrine qui a pour but l'union avec Dieu, elle recommande des règles de vie, garantissant le triomphe de l'esprit, mais ce triomphe, au lieu de rejeter la nature, l'embrasse, car la première tâche de la théosophie n'est autre que l'énonciation des lois secrètes de l'univers. On comprend que par ce biais ésotérique la théosophie ait offert au jeune peintre une prise qui manquait au calvinisme où il était en train de se débattre. Telles qu'elles sont, en effet, les conceptions théosophiques annulent sa faute. De plus, ce qui quotidiennement la ravive — le zèle qu'il met à étudier la peinture, ses efforts pour devenir bon peintre — au sein de la théosophie non seulement cesserait de l'enfoncer dans le péché, mais l'élèverait vers la suprême vérité qui « doit être recherchée par l'étude, la réflexion, la pureté de la vie, le don de soi à un haut idéal ». Pour les théosophes l'art joue un rôle initiateur, il transmue, sublime les bas instincts. Cette notion de perfectibilité est un des piliers des théories théosophiques. Le rachat par l'action n'implique pas le repentir, il est tourné en quelque sorte non pas vers le passé, mais vers l'avenir. Toute action accomplie dans l'observation des règles contribue à l'avancement de l'humanité entière, laquelle doit dépasser le monde physique et le monde émotif pour atteindre au troisième et dernier qui est le monde mental. C'est le même chemin, du reste, que l'individu isolé doit parcourir. Au terme n'arrivent que les grands initiés.

Il est certain qu'une doctrine ainsi conçue, non seulement résout un complexe de culpabilité, du type de celui de Mondrian, mais en même temps sauve l'orgueil de l'être humain tout en le sortant de son isolement spirituel et en le rendant solidaire d'un vaste monde fraternel. Point par point la théosophie semble convenir au jeune Mondrian, aux prises avec ses remords, acharné au travail, renfermé, solitaire. Ne s'est-il pas senti à son aise dans la vie, une seule fois dans sa jeunesse, au Brabant, où il était allé travailler en 1904, heureux de vivre parmi les villageois simples, directs, fervents catholiques? Tout au contraire, le voyage qu'il avait fait, en 1901, en Espagne avait été une déception totale. L'exubérance, la nature méridionales étaient sans aucun doute trop fortes pour lui.

Il est enfin un autre élément de la théosophie qui peut avoir agi sur Mondrian. Plutôt que de la doctrine pure, il relève de l'activité du mouvement théosophique qui, dans ses publications de propagande très répandues avant 1914, faisait appel à ceux qui voulaient « avoir une place parmi les pionniers de la pensée prochaine », qui voulaient « être au nombre de ceux dont les siècles futurs se souviendront ». Mondrian n'est certes pas l'homme superficiel qui se laisserait entraîner par la vanité

57. Piet Mondrian en 1944.

de pareilles allégations. Mais quand on songe à l'emprise que celles-ci peuvent avoir sur un être ambitieux qui ne parvient pas à réaliser ses ambitions, quand on connaît par ailleurs le réel tourment que la peinture représente pour cet être, on est porté à croire que la théosophie, tout en libérant Mondrian de ses hantises, a pu aussi le confirmer dans ses ambitions. C'est ce que sa biographie confirmerait : en 1899, quand il a terminé ses études à l'École des Beaux-Arts d'Amsterdam et qu'il doit subvenir à ses besoins en donnant des leçons de

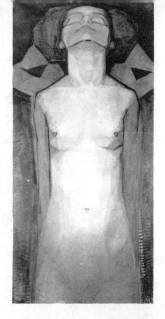

58. Piet MONDRIAN, *Évolution*.
Tryptique, vers 1911.

dessin ou en faisant d'autres petits travaux, il traverse une période particulièrement difficile. Des déceptions s'ajoutent à ses difficultés matérielles et c'est à ce moment-là qu'il approfondit par des lectures et des discussions sa connaissance de la théosophie qui l'intéressait depuis 1892.

On pourrait donc affirmer au terme de cette brève analyse que la théosophie a été pour Mondrian la condition de son épanouissement, parce qu'elle lui a donné la possibilité de vivre en paix avec soi, parce qu'elle lui a permis, pour reprendre le langage de la psychanalyse, de liquider le complexe de culpabilité qui risquait de l'étouffer. Sur le plan du subconscient, il réintégrait le foyer paternel. Lui que la peinture avait dressé contre son père, tout comme si elle l'avait mis au ban du calvinisme, il revenait au sein de la spiritualité qu'il avait considérée comme perdue à jamais et il y était admis *avec* la peinture.

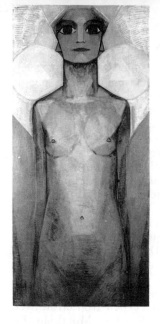
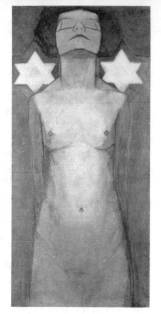

Au rythme de son tempérament qui est lent,
Mondrian s'est laissé prendre peu à peu par la théosophie. Mais les théories et la vision du monde
théosophiques, une fois acceptées, sont vécues par
lui avec une telle conviction que toute sa peinture
en sera influencée.

La première tentative de Mondrian pour
introduire dans la peinture un contenu théosophique remonte à 1911 (deux ans après son adhésion à la Société théosophique). Il s'agit du tryptique intitulé *Évolution* qui représente un corps de
femme nu, hiératique, peint sur chacun des trois
volets avec des variantes symbolisant les trois états
de l'accession spirituelle définis par la théosophie.
Il est curieux de noter comment, à la recherche
d'un symbolisme plastique, il recourt tout à fait
inconsciemment à une forme géométrique où, de
surcroît, apparaît déjà son amour des nuances
presque imperceptibles : les bouts des seins et le

58

nombril sur le premier volet sont indiqués par de minuscules triangles tournés vers le bas; sur le second volet ces triangles ont la pointe vers le haut, et, sur le troisième, ce ne sont plus des triangles, mais des rectangles à peine visibles. Le sens du symbole est évident : terre et ciel, nature et esprit s'équilibrent dans le troisième état qui est l'état supérieur. Les triangles trouvent leur équilibre dans le rectangle. Comment ne pas voir là – en germe – l'avenir entier de la peinture de Mondrian?

Ce tableau est le seul du genre dans l'œuvre de Mondrian, mais le fait que Mondrian l'ait conçu nous semble significatif. Depuis qu'il a commencé sa carrière, il n'a peint que des natures mortes, des fleurs, des paysages. Sa peinture appartient donc à l'état physique, le plus bas dans l'échelle des valeurs d'un théosophe, et ce lien trop étroit avec la nature, à la longue, a dû gêner Mondrian. En vertu de la perfectibilité théosophique et, sans doute pour des raisons très personnelles, il aspire à dépasser ce premier stade, à élever sa peinture au-dessus de la nature. C'est ce qu'il tente dans le tryptique *Évolution*. Tentative qui reste sans suite parce qu'elle précède de peu l'arrivée de Mondrian à Paris.

En 1912, à Paris, le cubisme synthétique bat son plein et Mondrian ne tarde pas à reconnaître dans la conception cubiste cet état supérieur de la peinture auquel il aspire. Pour lui le cubisme jouera ainsi sur le plan plastique un rôle analogue à celui de la théosophie sur le plan psychologique : il indiquera à sa peinture la voie à suivre. Avec l'acharnement, la profondeur et l'obstination qui le distinguent, quand il aura exploré à fond la vision cubiste, Mondrian se laissera guider à nouveau par ses idées théosophiques vers une pureté de plus en plus grande. Il ira jusqu'à emprunter dans ses écrits sur l'art le langage de certains

ouvrages théosophiques. Emprunts tout à fait logiques car l'abstraction à laquelle il a abouti est
à ses yeux l'illustration fidèle de la grande vérité
révélée par la théosophie. Derrière ce parfait
aboutissement, derrière l'impassible façade des
formes, une faille cependant : ce malaise à la vue du
vert, l'effroi devant la vie.

LA PEINTURE DE MONDRIAN. Quand il arrive à
Paris, en 1912, Mondrian est âgé de quarante ans
et il a derrière lui vingt ans d'expérience dans la
peinture. Ses premiers tableaux nettement académiques (natures mortes et paysages dans la pure
tradition hollandaise), ont été suivis par des recherches personnelles qui depuis une dizaine d'années ne cessent de s'affirmer. Il a peint sur le motif
aux environs d'Amsterdam, puis en 1904-1905 dans
le Brabant et, enfin, à Domburg, en Zélande, près
de la mer, où il a séjourné deux années entières, en
1909 et 1910. Selon la coutume inaugurée par les
impressionnistes, Mondrian travaille en contact
étroit avec la nature. Mais l'atmosphère de ses
paysages est à l'opposé de la sérénité, de la joie de
vivre qui remplit les tableaux impressionnistes. La
gamme de ses couleurs est sourde : des verts
sombres, des bruns, des gris-bleus. Les qualités du
peintre sont pourtant sensibles dans la finesse des
accords, tous intentionnellement conçus non pas
à exalter la lumière, mais à l'étouffer. Ce même
désir est, du reste, souligné par l'emploi assez fréquent du violet, couleur difficile à traiter, rarement
aimée des peintres. La raison de cette palette
sombre, pour une fois, c'est Mondrian lui-même
qui nous l'explique dans la notice biographique
rédigée en 1942 que nous avons déjà citée. Il nous
apprend qu'à cette époque il aimait l'absence de
lumière, « un ciel d'orage et même le clair de lune »,

à tel point qu'il a fait des croquis la nuit, au clair de lune. Dans ses paysages donc, il commence par exprimer cet attrait que la nuit exerce sur lui et qui me semble révélateur quant à son état psychologique, quant à son attitude envers la nature. La seule lumière qui le retienne est celle du plein soleil, parce que « sa densité », dit-il, ramasse les formes sur elles-mêmes, mais elle n'apparaît dans ses peintures que plus tard, lors de son séjour à Domburg, quand il travaille aux côtés de Toorop et de Sluyters, les deux peintres qui représentent alors l'avant-garde hollandaise. Sa palette, pendant cette période, devient beaucoup plus claire et semble, par moments, faire écho aux violences fauves. On observe une curieuse alternance de techniques : tantôt il se sert de couleurs fluides qu'il étale en larges coups de brosse, tantôt, au contraire, il peint avec des touches juxtaposées en faisant jouer toute l'épaisseur de la matière. Mais ce qui frappe déjà dans la démarche de Mondrian, c'est la répétition du motif et l'imposante frontalité des formes qu'il conçoit, que ce soit la tour de l'église de Domburg ou un phare voisin, un moulin à vent ou un arbre ou alors la longue série de fleurs qu'il dessine et peint inlassablement, ces fleurs qui sont toujours une seule fleur, vue de face, fixée avec une avidité sensuelle. D'une manière assez étrange, toute la sensualité rigoureusement exclue des paysages de Mondrian semble à cette époque confluer dans ses dessins et peintures de fleurs, qu'il exécutait souvent pour vivre, alors que toute l'austérité de son engagement d'artiste, il la réservait au reste de ses œuvres. S'il y avait donc en lui un partage entre la chair et l'esprit, le cubisme ne pouvait que rendre la barrière entre les deux plus étanche, consolider leur séparation. Ainsi, au moment même où sous l'influence cubiste son expérience picturale s'éloignait de la nature, il y avait aussi une

59. Piet MONDRIAN, *Rose*, vers 1910.

part de Mondrian, au fond de son être, qui devait ressentir cet éloignement comme une délivrance.

L'épanouissement de la peinture de Mondrian sous l'influence cubiste est immédiat. A la différence de tous les autres artistes, pour lui le cubisme n'est pas une leçon, mais une révélation. Ce qu'elle fait ressortir d'emblée dans ses nouveaux tableaux, c'est sa personnalité de toujours, débarrassée des conventions réalistes, enfin libre. Son évolution, qui jusque-là avait progressé lentement, lourdement, à présent s'accélère. Aucun tâtonnement, aucune hésitation ne surviendront plus dans son œuvre jusqu'à la fin de sa vie. Grâce au cubisme, Mondrian a vu clair en lui-même. Avec une rigueur inexorable il se dirige vers l'abstraction et, quand il l'aura atteinte, elle prendra pour lui une double signification, morale et esthétique. Couronnement d'une vie, sommet de la forme, l'abstraction absolue à laquelle il aboutit en 1920 est la conclusion logique du changement intervenu dans sa peinture en 1911-1912.

Quant au chemin parcouru pendant ces huit années, il représente peut-être un des moments les plus passionnants de l'art contemporain. Ce peintre qui avait toujours été porté à répéter le même motif — celui-ci comptait donc moins à ses yeux que la manière dont il le traitait — de 1911 à 1914 s'applique véritablement à extraire de la chose peinte son essence abstraite. De tableau en tableau, le même motif, vu sous le même angle, passe par des états successifs qui nous montrent comment la forme se sépare du contenu concret pour acquérir un contenu abstrait. Cas unique, dans ces cycles que Mondrian peint — celui de l'arbre, de l'église, de la mer, des dunes, chaque tableau, chaque dessin, est en soi une œuvre achevée et tous ensemble, pourtant, nous donnent l'impression d'assister à l'ineffable gestation de la forme.

Différents dans leur visée, les tableaux cubistes de Mondrian diffèrent également du cubisme orthodoxe par la couleur. Certains blancs bleutés, certains bleus-verts (le bleu de la turquoise mélangé au vert du cuivre verdi), certains gris-roses n'existent pas dans la palette cubiste. Une autre particularité : la finesse des accords tend ici, comme dans les paysages anciens de Mondrian, à voiler la lumière, à la rendre indirecte, diffuse. De son passé l'artiste tient aussi cette maîtrise du coup de pinceau : la touche parcourt la surface de la toile, tantôt saccadée, tantôt étale, selon les plans qu'il veut accuser ou atténuer. Ainsi de l'ensemble au détail, de la conception à l'exécution, Mondrian avance avec tout ce qu'il a préalablement acquis et avec tout ce qu'il découvre à présent de tableau en tableau. Dans chaque nouvelle peinture il met *tout* ce qui l'a précédée. De cette manière l'aboutissement d'un cycle entier, celui de l'arbre, devient le point de départ d'un nouveau cycle — celui de la mer, qui, à son tour se trouve résumé dans le cycle de l'église. La composition procède en se simplifiant, mais il s'agit d'une simplification synthétique qui est chaque fois la simplification de la totalité des expériences picturales antérieures. Procédé qui permet au peintre d'entrevoir à travers les différences accessoires une identité fondamentale : la forme qui exprime l'église rejoint celle de la mer. Mondrian a découvert une nouvelle valeur — le signe. Après avoir éliminé de ses compositions la courbe (sinon en tant qu'accent parmi les lignes droites et leurs intersections à angle droit), subitement il s'est trouvé en présence du signe.

L'objet initial de ses tableaux cubistes reste désormais loin derrière lui. A la vitesse d'une progression géométrique, en deux ans, de 1912 à 1914, la démarche de Mondrian, avec une logique implacable, l'a conduit au seuil de l'abstraction.

Au moment où ce tournant décisif s'esquisse dans l'œuvre de Mondrian, il est de nouveau en Hollande. Il a quitté Paris pour se rendre au chevet de son père gravement malade, et la déclaration de la guerre de 1914 l'a retenu dans son pays. Il y restera jusqu'en 1919, poursuivant son travail dans un climat favorable, grâce à la neutralité de la Hollande. Selon les témoignages d'un de ses amis, le musicien Van Domselaer, en 1914 Mondrian « estimait déjà que son œuvre était accomplie, qu'il avait fait ce qu'il avait à faire ». Même s'il nous paraît difficile d'accepter ce témoignage tel

60

61

62

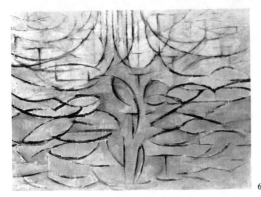

63

64   65

Piet MONDRIAN. *Arbre :* 60. Première version, 1910-11; 61. Deuxième version, vers 1911; 62. Troisième version, 1911; 63. Quatrième version, vers 1912. — 64. *Tour de l'église de Domburg,* vers 1909. — 65. *Façade d'église,* 1914.

quel — Mondrian s'était donné à la peinture corps et âme, il était trop engagé pour pouvoir ainsi s'arrêter — une part de vérité doit cependant s'y trouver, dans la mesure où Mondrian, à cette époque, avait vraisemblablement conscience d'avoir atteint à une forme qui satisfaisait ses aspirations.

De cette même année semblent dater ses pre-

miers carnets de notes où son expérience picturale
se mêle assez curieusement à ses convictions de
théosophe. Le « lent et sûr chemin de l'évolution »
est pour lui un axiome qui réunit et confond sa
propre évolution, celle de sa peinture et celle de
l'humanité. Conformément à l'idée de réincarna-
tion (pilier de soutènement de la théosophie), il
assimile « l'art à une vieille âme qui doit vivre dans
un corps nouveau » et de même que « la science
moderne a confirmé que matière et force sont un »
(autre idée chère aux théosophes), il croit avoir
réalisé dans sa peinture « l'unité entre la matière
et l'esprit ». Il est persuadé ainsi d'avoir contribué
à l'avènement de la société future, une société
équilibrée, heureuse, à l'image du monde de demain que l'enseignement de la théosophie prépare.

Par ailleurs, il suffit de rappeler que le devoir
premier du théosophe éclairé consiste à « remon-
ter de la conscience personnelle à la conscience
individuelle », autrement dit, du particulier à l'universel, pour qu'apparaisse nettement le sens éthique
sous-jacent dans l'entreprise esthétique de Mondrian. La théosophie n'enseigne-t-elle pas « qu'un
objet est d'autant plus beau qu'il dévoile davantage
les lois qui le conditionnent et la place qu'il occupe
dans l'univers ? » Sur ce fond il était inévitable que
le cubisme engendrât l'abstraction. Toujours dans
ce même carnet de 1914 on lit : « Le principe mas-
culin étant représenté par la ligne verticale, un
homme reconnaîtra cet élément (par exemple) dans
les arbres montants de la forêt. Son complément,
il le verra (par exemple) dans la ligne horizontale
de la mer. » C'est le chemin que Mondrian a suivi
dans sa peinture. Et s'il l'indique, c'est qu'il est
déjà arrivé dans sa peinture à manier des principes
et non des formes contingentes. De même, peut-il
faire à présent cet autre aveu qui nous livre, à son
insu, la raison profonde de son attachement à la

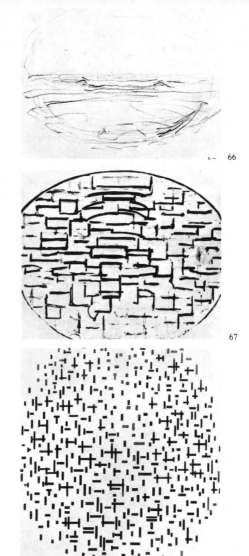

Piet MONDRIAN. 66. *Mer,* vers 1914; 67. *Mer,* 1913-14; 68. *Composition avec lignes (plus et moins),* 1917.

théosophie : « L'art étant surhumain, il cultive l'élément surhumain en l'homme et se trouve être, par conséquent, un moyen d'évolution de l'humanité au même titre que la religion. »

L'indéracinable soumission filiale, le sentiment de culpabilité qui avaient appesanti la jeunesse de Mondrian, étaient donc, en 1914, définitivement liquidés. Sinon il n'aurait pas écrit ces lignes. Le rôle psychologique de la théosophie dans la vie de Mondrian a pris fin. Mais comme la doctrine théosophique chez lui tient lieu de formation intellectuelle, c'est encore sur elle qu'il s'appuiera pour donner à ses recherches une plus grande ouverture.

En 1916, à Laren, où il vit, Mondrian a la possibilité de s'entretenir longuement avec le théosophe Schoenmaekers. L'homme, ancien prêtre catholique conquis par la théosophie, ne lui était pas sympathique (il le trouvait trop cérébral), mais ses écrits, en revanche, l'avaient intéressé au point qu'il en fut profondément marqué. C'est à Schoenmaekers que Mondrian emprunte non seulement des idées, mais aussi la terminologie dont il se servira pour expliquer sa propre peinture. Quant à la forme qu'il adopte dans ses écrits, celle du dialogue, il n'est pas exclu qu'il se soit inspiré des ouvrages de vulgarisation théosophiques, notamment de *La Clé de la Théosophie* de Mme Blavatsky. Ces textes de Mondrian paraîtront dans la revue *De Stijl* qui sera fondée en 1917, en même temps que le groupe homonyme dont nous aurons plus tard l'occasion de parler. Dans les pages de *De Stijl* où il cherche à définir sa conception de la peinture, il emploiera l'expression « nieuwe beelding », qu'il a empruntée à l'ouvrage de Schoenmaekers *La Nouvelle Image du Monde (Het nieuwe Werelbeeld)* et que nous traduisons par « Néo-plasticisme » ou par « Nouvelle Plastique », faute de pouvoir rendre en français son

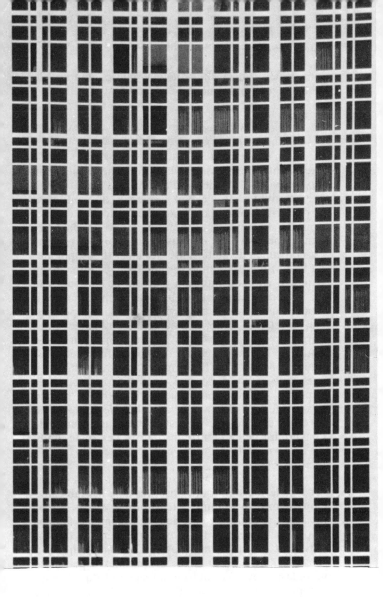

69. Un immeuble du groupe Maine-Montparnasse : détail de la façade.

sens précis qui serait quelque chose comme « le nouvel accomplissement de la forme ».

LE NÉO-PLASTICISME OU LA NOUVELLE IMAGE DU MONDE.   Dans l'esprit de Mondrian le néo-plasticisme n'est autre que la nouvelle image du monde. Il en confie l'expression à la forme, parce qu'il croit aux pouvoirs de celle-ci, d'autant plus qu'il connaît ses possibilités de s'élever au-dessus du contingent et de se maintenir dans l'essentiel, grâce à l'abstraction. Le cheminement de son œuvre pendant ces années obéit à une curieuse équivoque : Mondrian est convaincu de matérialiser les idées théosophiques qu'il considère comme prophétiques, alors qu'en réalité il suit son intuition d'artiste et c'est elle qui lui fait pressentir certains aspects du monde à venir dont nous sommes aujourd'hui les contemporains. Qui n'est pas frappé par la ressemblance entre l'organisation des façades dans l'architecture courante de cet après-guerre et la peinture néo-plastique de Mondrian? La forme abstraite absolue qu'il a conçue, était donc une expression profonde de l'époque. Admise ou reniée, cette forme répond aux exigences de la vie actuelle : le temps s'est reconnu en elle. Ce qui est la meilleure preuve de l'envergure de ce peintre insolite. A l'extrême limite où il a poussé la peinture, celle-ci a fécondé l'architecture.

Les étapes que Mondrian franchit avant d'arriver à ce terme sont toutes inscrites dans ses tableaux. Nous avons vu comment le cubisme, en 1912, met fin à ses recherches antérieures. De même l'apparition du signe, en 1914, clôt une période de son œuvre et en ouvre une autre. Celle-ci s'achève, à son tour, vers 1920 avec les premières peintures néo-plastiques. Du cubisme au signe et du signe au néo-plasticisme, tel est l'itinéraire de la peinture abstraite de Mondrian.

Le signe, dernier refuge du réel, extrait de sa structure, une fois apparu, Mondrian l'étend au tableau entier. Sa démarche qui était jusque-là déduction procède maintenant par induction : du signe le peintre remonte vers les principes qui régissent la forme. Il demande au signe d'être initial, au plein sens du mot, et il en observe le comportement comme on suit une expérience de laboratoire. Ce signe, c'est le trait droit qu'il trace soit verticalement, soit horizontalement, c'est-à-dire dans les deux directions opposées les plus pures. Mais quand il a ainsi parsemé la surface de sa toile, ce qui ressort — et qu'il découvre — c'est la force de la symétrie et de l'asymétrie. Or, découvrir, pour Mondrian, c'est prendre conscience et aussitôt faire un pas en avant.

68

La série de ses tableaux construits avec des signes (qu'on appellera plus tard des « plus et des moins »), l'amène déjà à envisager la peinture en vertu des principes plastiques fondamentaux et contraires qu'il a saisis, la symétrie et l'asymétrie. Dans leur action, Mondrian croit reconnaître la Loi de la nature, la loi première d'où toutes les autres découlent. Désormais il ne fera appel dans ses tableaux qu'à l'action pure de la symétrie et de l'asymétrie et il l'exprimera avec les moyens plastiques conformes à sa pureté, les moyens qu'il s'est déjà forgés. Contenu et forme s'emboîtent alors dans sa peinture. « La vie tout entière en s'approfondissant peut se refléter dans le tableau », écrit-il dans *De Stijl* en 1917 et, vers 1920, lorsqu'il peint ses premières œuvres néo-plastiques, il a la profonde conviction d'avoir atteint à une expression universelle qui coïncide avec la quintessence de la peinture. Jamais plus il n'abandonnera ces vues, persuadé que « la Nouvelle Plastique est un art d'adultes », alors que « l'art ancien est un art d'enfants ». Quinze ans plus tard, après avoir peint des tableaux

qui ne sont que le même tableau repris avec des
nuances à peine perceptibles, il insistera encore sur
le même point : « La vie, dira-t-il, n'est que l'approfondissement continuel de la même chose. »

Peu d'artistes ont eu la certitude d'avoir accédé
à la Vérité, comme le théosophe Mondrian. Il ne
doute pas que le bien, le beau et le vrai convergent
dans la peinture néo-plastique. « Les choses nous
donnent tout, mais leur représentation ne nous
donne rien », notait-il timidement dans ses carnets
de 1914. A présent, il est catégorique : « La Nouvelle Plastique est l'équivalent de la nature. » Dans
une lettre adressée à un ami, en 1923, il écrivait
que le fait de devoir peindre des fleurs pour vivre,
n'était « quand même pas si terrible », puisque le
néo-plasticisme « était fondé une fois pour toutes ».
Et avec une étonnante humilité (qui devait rendre
sympathique cet homme sévère et très sûr de lui)
il ajoutait : « Je devrais cependant être content de
gagner quelque chose pour parvenir à manger. »

Dans de nombreux textes (qui sont loin d'avoir
l'éclat des écrits de Kandinsky), Mondrian com-
mente inlassablement sa peinture néo-plastique.
Ce qui l'a précédée et qui, du point de vue strictement pictural, souvent la dépasse, n'a à ses yeux
qu'une importance secondaire. Ce n'est qu'un acheminement dont le but seul compte. Et comme ce
but, tel que Mondrian l'entend, est si rigide, si
obstinément exclusif, toute une part de l' « être »
de la peinture se trouve écartée d'avance. Toute
l'instinctive liberté, toute l'irrationnelle souplesse
de la couleur sont absentes dans les tableaux néo-
plastiques de Mondrian. En revanche il a donné à
la forme de solides assises. L'angle droit en tant
que relation de deux extrêmes, représente en effet
l'expression plastique de ce qui est constant. La

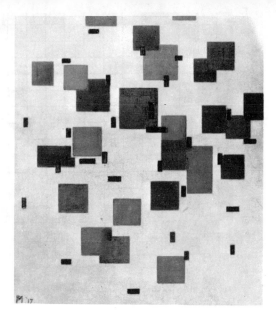

70. Piet MONDRIAN, *Composition aux plans de couleurs pures sur fond blanc* A. 1917.

construction du tableau, fondée sur les seuls rapports, est en mesure de laisser percevoir indirectement un mouvement dynamique, en fixant son équilibre. Rien n'est plus immobile que les différentes parties du tableau de Mondrian prises séparément, mais dès qu'on les considère ensemble, leur immobilité devient active, recompose un équilibre. De toute évidence, la forme, tout ce qui est ligne, plan, peut s'ordonner dans cet univers mathématique où la peinture de Mondrian pénètre. Mais la couleur, comment peut-elle devenir l'égale de cette structure éminemment rationnelle?

C'est la question qui a pesé sur l'œuvre de Mondrian au moment de la mise au point du néoplasticisme et qui rebondira vingt ans plus tard.

Entre 1917 et 1920, lorsqu'il passe de l'intersection linéaire à angle droit au plan rectangulaire ou carré, la présence du plan, son étendue appellent

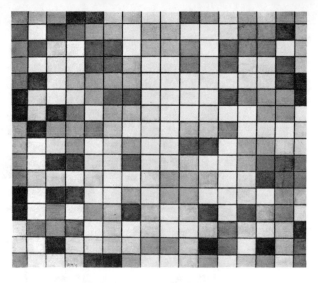

71. Piet MONDRIAN, *Composition en damier aux couleurs claires*, 1919.

la couleur. Pour réaliser alors cette « peinture plane dans le plan » comme il se propose, il procède à des expériences chromatiques. Il recourt à de savants mélanges de couleurs, obtient des tonalités insolites, extrêmement raffinées, des roses pâles, des bleus nacrés. L'amour de la couleur voilée qui a toujours été évident dans sa peinture, apparaît une fois de plus : dans certains tableaux de 1919, forçant le blanc dans ses mélanges, il aboutit à une opalescence qui est en soi une réussite. Mais elle ne satisfait pas Mondrian. Cette gamme translucide qui semble faite de vibrations englouties n'est guère de la même nature que l'angle droit. Son aérienne légèreté l'en sépare. Est-ce alors, parce qu'il se persuade que la couleur, à la différence de la forme, ne se laisse pas contrôler par la raison, que Mondrian, sous l'influence de ses amis peintres du groupe « De Stijl », adopte les trois couleurs primaires pures : le bleu, le jaune et le rouge, secondés des deux non-couleurs, le noir et le blanc ? Le noir, il le réserve aux larges bandes qui séparent les plans

72. Piet MONDRIAN, *Composition,* vers 1922.

colorés et, quant au blanc, qui va parfois jusqu'au gris très clair, il s'en sert, en quelque sorte, comme surface amortissante. Les tableaux de Mondrian qui ont cessé d'avoir une forme centrale, ont pour centre cette vaste étendue de non-couleur où les couleurs vraies viennent retentir.

72   Tel est le véritable système chromatique auquel les œuvres néo-plastiques de Mondrian obéissent invariablement pendant plus de vingt ans.

Puis, en 1942, apparaît un tableau comme *New*
73   *York City,* qui rompt avec ce système. Les lignes qui répartissent la surface sont pour la première fois claires et dans les tableaux suivants elles seront déjà sectionnées en petits segments rouges, bleus. L'allure monumentale de la peinture néo-plastique a cédé la place à un rythme syncopé : ce sont les deux dernières grandes compositions de Mondrian
74   *Broadway Boogie-Woogie* et *Victory Boogie-Woogie,*
75   celui-ci resté inachevé.

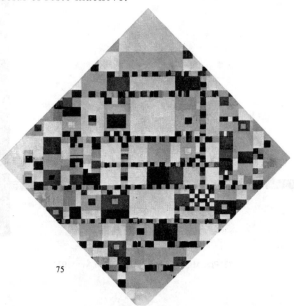

75

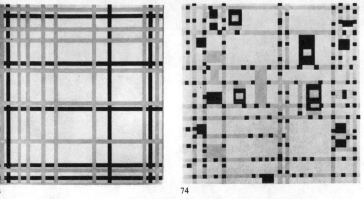

74

Piet MONDRIAN. 73. *New York City,* 1942; 74. *Broadway Boogie-Woogie,* 1942-43; 75. *Victory Boogie-Woogie,* 1943-44 (inachevé).

Depuis 1940, le peintre vit à New York. Il a quitté Paris en 1938 pour Londres d'où il a regagné les États-Unis. Malgré son âge (il a soixante-huit ans à l'époque), Mondrian est loin d'être dépaysé dans la métropole américaine. Au contraire, New York l'enchante. Il se sent à son aise dans cette ville tracée à l'équerre, où les gratte-ciel affirment la domination de l'homme sur la nature qui était le rêve du néo-plasticisme. Est-ce l'euphorie devant ce « monde de demain » déjà surgi, est-ce l'âge, est-ce la part non vécue de sa vie qui prend le dessus, Mondrian est en révolte contre l'austérité de son propre style : « Seulement maintenant je m'aperçois que mes œuvres en noir, blanc et peu de couleurs, ne sont que des dessins à l'huile », écrit-il à J. J. Sweeney. Il prétend que « l'élément destructif est trop négligé dans l'art » et il explique que s'il a été attiré par une danse comme le boogie-woogie, c'est parce qu'il la sent proche de ses propres intentions : elle brise la mélodie en opposant continuellement ses moyens d'expression.

La mort mettra fin en 1944 à cet éclat de jeunesse inattendu – une fin comme des points de suspension...

76. Photo de Malévitch prise à Varsovie en 1927.

CASIMIR MALÉVITCH

En 1918, Malévitch expose son tableau *Carré blanc sur fond blanc*. Seule la légère inflexion de la touche retranche la forme carrée du fond sur lequel elle apparaît. Veut-on la fixer, en saisir les limites, elle s'évanouit pour resurgir à nouveau à l'instant où le regard embrasse le tableau entier, pour encore disparaître, réapparaître, sans cesse engloutie et présente dans le blanc qui est la limite des couleurs ouverte sur l'illimité — aucun tableau dans l'histoire récente et ancienne de la peinture n'est plus signifiant dans son refus de tout signe. Aucun peintre n'a été moins compris de ses contemporains que Malévitch lorsqu'il plaça soudain la peinture abstraite « dans cette région antérieure que nous ne pouvons désigner que sous le voile du « non », région dont nous parle Maurice Blanchot, où « l'impossibilité n'est plus privation, mais affirmation ». Malévitch lui-même n'avait-il pas écrit : « Dès que nous tournons les instruments de notre intelligence vers les objets du monde matériel, ils éclatent; le plus haut de l'intelligence, le plus profond, le plus vaste, le plus loin, c'est l'éclatement. » L'œuvre conçue comme un éclatement, « mystère qui intronise » selon l'expression de René Char — toute l'aventure du « Suprématisme » de Malévitch semble toucher la part la plus tendue de la sensibilité actuelle.

Sur ce peintre qui est incontestablement un des plus intéressants du siècle, la lumière reste encore à faire. Deux dates de naissance (il est vrai proches) sont indiquées par ses biographes les plus attentifs, Werner Haftmann et Camilla Gray. Malévitch serait né en 1878 ou en 1879 près de Kiev. Si l'on est d'accord sur le lieu de sa naissance, il existe deux versions concernant son milieu familial. Selon l'une, son père était contremaître dans une raffinerie de sucre et il était russe, alors que sa mère était d'origine polonaise et elle était probablement illettrée. Selon l'autre version, sa mère était russe, son père, en revanche, était polonais et il était régisseur d'une propriété agricole. On sait cependant qu'en 1895 Malévitch fréquentait déjà l'École de peinture de Kiev. Est-il allé poursuivre ses études à Moscou en 1900 ou en 1905? Les avis encore une fois divergent. A partir de 1910, en tout cas, on trouve Malévitch dans les rangs de l'avant-garde russe où il occupera bientôt une place de premier plan. On suppose qu'il fit en 1912 un court voyage à Paris. En 1916, il lance le suprématisme, le mouvement abstrait dont il est le chef de file et publie en même temps ses théories sous le titre *Du Cubisme et du Futurisme au Suprématisme.* Après 1917, étant donné que la Révolution, à un premier moment, s'identifie avec l'avant-garde, l'activité de Malévitch redouble. Il expose, continue d'écrire et de publier, enseigne à l'École d'art de Vitebsk, ensuite, à partir de 1922, à Pétrograd. Soutenu par Lounatcharski, il déploie une énergie considérable en vue de la démocratisation de la culture. Cependant, une hostilité croissante commence à l'entourer. La Révolution entre dans sa seconde phase. Malévitch tombe en disgrâce. Pendant les dernières années qui précèdent sa mort (survenue en 1935) il ne fait que des portraits et des paysages réalistes. Mais il avait entièrement peint, à la manière de ses anciens tableaux abstraits, le cercueil dans lequel on devait l'enterrer.

Le silence de mort qui s'était refermé sur sa peinture durerait sans doute encore si, en 1927, avant qu'il ne tombe en disgrâce, il n'avait pas eu l'autorisation de sortir de l'Union Soviétique pour un voyage en Pologne et en Allemagne, à l'occasion d'une exposition rétrospective de son œuvre qui devait avoir lieu d'abord à Varsovie, ensuite à Berlin. Ce voyage de trois mois décidera de sa gloire posthume.

Invité à rentrer d'urgence, Malévitch regagne Léningrad en laissant en Allemagne tous les tableaux de son exposition, des dessins, des carnets de notes et aussi le manuscrit d'un long texte (*Супрематизм Мир как беспредметность или освобождённое ничто*) *Le Suprématisme ou le monde sans objet (Die gegenstandslose Welt)* qui devait aussitôt paraître aux éditions du Bauhaus. Jamais ce texte ne sera publié en russe. Quant aux tableaux et dessins (une trentaine de toiles de 1900 à 1925 environ et autant de dessins), ils ont été exposés, depuis 1957, dans différents musées en Europe (Amsterdam, Brunschwig, Berne, Londres, Leverkusen) et ce sont eux qui ont provoqué la « résurrection » de ce peintre dont la plus grande partie de l'œuvre est conservée dans les inaccessibles réserves du musée de Léningrad.

Il est certain que si la peinture de Malévitch a pu s'imposer avec tant d'autorité, c'est que son heure était venue. Les tableaux que nous connaissons, exposés en Allemagne en 1927, n'avaient pas été compris, pas plus que la publication du *Monde sans objet,* en 1927, n'avait permis d'apprécier à sa juste valeur la profonde originalité de ce peintre. On a attribué cette incompréhension à la mauvaise traduction des textes de Malévitch. (En 1962, on a procédé en Allemagne à une nouvelle édition, revue et corrigée par W. Haftmann, qui peut être considérée comme définitive). Mais la vraie raison est peut-être ailleurs. A cette époque l'art abstrait était encore en pleine croissance alors que la peinture de Malévitch, brûlant les étapes, en dévoilait déjà l'extrême limite. Dans ses tableaux l'abstraction était allée si loin, qu'elle entraînait la pein-

77

77. Photo de la salle de Malévitch à l'exposition d'art russe à Berlin en 1927.

ture — toute la peinture — vers sa propre fin, vers le « rien dévoilé » (*Освобождённое ничто*), comme il définit lui-même le point qu'il aspire à atteindre parce que là seulement, dans le « rien dévoilé », le réel est dépassé pour qu'apparaisse ce qui le transcende. Il y a dans la sensibilité de Malévitch une sorte de grandeur panique qui précipite le développement de sa peinture. D'un coup, avant même d'avoir analysé les possibilités de l'art abstrait, il aperçoit leur point ultime. Et ce point, une fois atteint dans « le blanc sur blanc », comme si lui-même en était ébloui le premier, il n'a de cesse qu'il ne parvienne à le saisir aussi à travers le langage. Malévitch écrira quelques centaines de pages tournant autour de cet unique point où la forme et la couleur, devenues absence, révèlent la suprême présence. L'abondance de ses écrits est telle et la cohérence de ses convictions si grande, malgré le caractère haletant de l'expression, qu'on se demande si le véritable saut périlleux auquel on assiste dans sa peinture n'a pas été pour lui le moyen de se libérer d'une sorte d'obsession intellectuelle, presque mystique à certains égards. Certes, les textes de Malévitch sur « le monde sans objet » sont postérieurs à ses tableaux blancs (quatre ans les séparent), mais si ces tableaux-limites apparaissent dans son œuvre sans préambule, si rien ne les prépare sur le plan strictement pictural, ils trouvent néanmoins leur explication dans ses écrits. Leur soudaine venue serait, en somme, la conséquence de cette intensité qui caractérise la pensée de Malévitch. A la manière de certains héros de Dostoïevski, pour assumer la vie, Malévitch doit passer au crible ce qui la fonde. L'inquiétude métaphysique pour lui, comme pour eux, fait partie de l'existence. Ce qui le pousse à écrire ce n'est pas une idée et moins encore le désir de construire une théorie de la peinture, mais une plaie ouverte, et s'il brûle les étapes, c'est qu'il ne peut pas faire autrement.

La précipitation qui caractérise le développement de l'œuvre de Malévitch ne se manifeste pas au niveau du tableau lui-même qui est toujours élaboré avec beaucoup de soin. Elle tient pour ainsi dire au temps de la conception, non à celui de l'exécution. Le fait est évident, même si les dates de ses peintures sont en général approximatives, surtout à ses débuts, alors que son nom ne figurait pas encore dans les manifestations de l'avant-garde russe.

On sait que, dans les premières années du siècle, il peint des tableaux vaguement impressionnistes auxquels, vers 1907-1908, succède sans transition une série de grandes gouaches, qui par la violence de leur couleur rappellent les Fauves, mais font aussi penser aux expressionnistes allemands de la « Brücke », par le goût que Malévitch

Casimir MALÉVITCH. 78. *Cireurs,* vers 1911; 79. *Le Scieur de bois,*
1911.

y manifeste pour les sujets à résonance morale ou
sociale : l'homme à la bêche, l'homme au sac, les
cireurs de parquets – toutes les gouaches de Malévitch sont consacrées au monde du travail. Chose
curieuse, la façon dont la double influence, française et allemande, se transforme après avoir été
accueillie, révèle déjà les caractères dominants de
la sensibilité de Malévitch en même temps que ses
dons. Il surmonte aisément les difficultés techniques
de cette peinture libre, construite à grands coups de
pinceau. Aucune trace de gêne dans son geste,
habitué pourtant aux menues touches impressionnistes. Au contraire, une constante ampleur fait
déborder la forme, et cette ampleur est employée
à des fins symboliques : Malévitch l'utilise pour
évoquer la pesanteur, associée dans son esprit au
monde du travail que le sujet lui-même illustre;

les personnages ont par rapport à leur taille des
mains et des pieds énormes, peints de surcroît en
rouge vif. Voilà donc l'usage que Malévitch 78
fait de la couleur pure! L'audace chromatique
des Fauves jointe à l'intérêt que la « Brücke » por-
tait au contenu, deviennent chez ce Russe les véhi-
cules d'un véhément symbolisme. Ce même symbolisme persiste aussi dans les premiers essais cubistes
de Malévitch, (qui datent de 1912 à peu près et font 79
penser surtout aux recherches de Léger). Puis,
aussi subitement qu'il était apparu, le goût des
symboles disparaît dans l'œuvre de Malévitch. De
nouvelles influences ont envahi sa peinture : elle
est entièrement sous l'emprise du cubisme avancé
qui morcelle l'espace. Mais Malévitch n'est pas fait
pour imiter les autres. La conception synthétique
du cubisme qui l'inspire, aboutit sans tarder dans
ses toiles à une superposition d'objets hétéroclites. 80
Mais le caractère le plus remarquable de ces œuvres
est qu'elles préfigurent à certains égards Dada et
annoncent les tableaux Merz de Schwitters lorsque
par exemple Malévitch ajoute des bouts d'étoffes et
de dentelles à quelques peintures de 1914.

Certaines des sources de la peinture de Malévitch à cette époque sont évidentes. Même s'il ne
s'est pas rendu à Paris en 1912, il a pu prendre
connaissance du cubisme chez le collectionneur
moscovite Schoukine qui possédait cinquante œuvres
de Picasso, antérieures à 1914, dont une dizaine
étaient des peintures cubistes. Schoukine ainsi que
Morosov avaient constitué à partir de 1906 et
presque d'un seul coup ces fabuleuses collections
qui étaient alors les seules au monde où l'on pouvait
voir plus de quatre cents tableaux allant des impressionnistes à Picasso, et ces collections devaient
contribuer largement à la formation des jeunes
artistes russes. En outre, de très luxueuses revues
contenant déjà des reproductions en couleurs,

tenaient au courant l'intelligentsia russe de la vie
artistique et littéraire de l'Occident. D'abord de
1898 à 1904 la revue *Mir isskoustva (Le Monde de
l'Art)* fondée par Serge de Diaghileff, le futur animateur des Ballets russes; ensuite les revues *Apollon* et *Zolotoe Rouno (La Toison d'or)*. Celle-ci, du
reste, avait organisé en 1908 une première exposition d'art français qui comportait, entre autres,
plusieurs tableaux fauves, puis, en 1909, une seconde
exposition, où figuraient déjà des compositions
cubistes. La même année, aussitôt après sa publication dans *Le Figaro*, le *Manifeste futuriste* est
repris par la presse russe, et l'influence futuriste
ne tardera pas à se faire sentir dans les milieux
de l'avant-garde russe. A la différence du cubisme
qui n'a souci que de la forme et qui est une pure
révolution plastique, le futurisme est agressif. Marinetti attaque sans ménagement la société, provoque sans cesse l'opinion publique. Et cet élément
provocateur du futurisme attire les Russes. La foi
fanatique de Marinetti dans un temps nouveau
qu'artistes et écrivains doivent forger, convient à
leurs aspirations. La révolution de 1905 a déjà
secoué le pays et la conviction que la vie doit être
fondée sur des bases nouvelles est partagée par
toute l'intelligentsia qui fait preuve d'une curiosité
et d'une disponibilité intérieure qui n'existent nulle
part ailleurs à cette époque. Selon le philosophe
russe Nicolas Berdiaev, ces traits qui caractérisent
le début du xxe siècle, se trouvent déjà « dans la
structure psychique de la couche cultivée du
xixe siècle » où ils sont le signe d'un déracinement,
d'une rupture avec le présent, et cela dans tous les
domaines. État d'esprit, donc, ouvert plus que tout
autre aux influences et qui explique non seulement
le retentissement immédiat, sur le plan artistique,
de tous les mouvements d'avant-garde occidentaux,
mais aussi l'activité convulsive qui distingue l'avant-

80. Casimir MALÉVITCH, *Femme et affiches*, 1914.

garde russe de l'avant-garde occidentale. Malévitch
n'échappe pas à cette atmosphère. Je crois même
que c'est elle qui donne un aspect Dada avant la
lettre à ses peintures cubistes. Camilla Gray rap-
porte qu'au dos d'un de ses tableaux de 1911, intitulé *Le Violon et la Vache,* Malévitch avait écrit :
« La collision alogique de deux formes, le violon et
la vache, illustre le moment de lutte entre la logique,
la loi naturelle, le bon sens et les préjugés bourgeois. » Ce sentiment de l'absurde, qui allait bientôt
éclater avec Dada, pouvait exister dans l'ambiance
russe d'avant 1914. Jusque-là, par conséquent, et
tant qu'il peint ses tableaux cubistes (qu'il appelle
lui-même cubo-futuristes), Malévitch ne fait pas
exception aux règles générales qui déterminent
l'avant-garde russe dans son ensemble. Mais en
décembre 1915, lorsqu'il montre à l'exposition
« 0,10 » à Pétrograd ses premiers tableaux abstraits, il

a fait un pas en avant qui ne s'explique plus dans le contexte russe, qui ne se réfère pas non plus à l'avant-garde occidentale, pour la simple raison que Malévitch a soudain abouti à l'abstraction absolue vers laquelle Mondrian est le seul à se diriger en ces mêmes années. Là où le Hollandais avance avec précaution, le Russe arrive d'un bond et atteint d'emblée le sommet : aux cimaises surchargées de cette exposition un tableau de Malévitch repré-sente un carré noir sur fond blanc : les deux non-couleurs et la forme la plus affirmative, réunies, confrontées.

82

D'où viennent ces tableaux abstraits de Malé-vitch? Aussi inattendus qu'ils soient, ils ont des racines. Mais lesquelles?

Au plus loin, il y a, certes, les influences subies. Seulement elles sont désormais filtrées, réfléchies, comme à travers un prisme, par le tempérament de Malévitch. Du cubisme, il a retenu l'essentiel : la nécessité d'animer l'espace en y inscrivant la forme. Car, si les cubistes fragmentent l'objet, c'est pour faire vivre l'espace. Cette nouvelle vision ne sera simple morcellement de l'objet selon ses facettes que pour les émules auxquels échappe précisément ce que Malévitch a compris mieux que personne : que le tableau cubiste est avant tout une affirmation de l'espace. Malévitch a pu être retenu par l'abstraction (les recherches de Kan-dinsky étaient connues de ses compatriotes) et celle-ci rejoint dans son esprit la leçon du cubisme : en peignant ses toutes premières toiles abstraites, il vise déjà l'expression pure de l'espace. Ce qui frappe, en effet, dans ces tableaux de Malévitch, c'est la relation entre les formes et l'espace qui les

83

entoure, l'intervalle qui tout en les séparant les

84

fait graviter l'une vers l'autre. S'il fallait prouver

85

cette active présence de l'espace, il suffirait d'isoler une forme, de la regarder seule pour qu'elle devienne un quelconque plan inerte; puis aussitôt restituée à son environnement, elle revit, une tension la parcourt qui saisit le regard, l'entraîne plus vite, moins vite. La composition est pour Malévitch un accord de rythmes qui se réalisent dans l'espace de la toile, tout comme une phrase musicale se réalise dans le temps. Quand on songe alors à la sensibilité aiguë, haletante de l'artiste, on n'est pas surpris qu'il ait été tenté de résoudre le tableau entier en un accord unique : le carré dans un espace carré. A la différence de ses autres tableaux où les couleurs sont vives et variées, ici, très logiquement, il souligne le caractère radical de la composition, en réunissant les deux pôles opposés de la couleur, sa fin et son commencement : le noir et le blanc. Mais cette façon d'agir touche au principe même de la peinture — et Malévitch qui s'en rend très bien compte, tient au contraire à le souligner. Il qualifie ses tableaux abstraits de suprématistes, laissant par là clairement entendre que ce qu'il cherche à exprimer est un état suprême de la peinture. Faute de pouvoir connaître son propre témoignage sur ces années décisives (à notre grand regret le texte qu'il publie en 1916 sous le titre *Du Cubisme et du Futurisme au Suprématisme* est introuvable) — il ne nous reste, pour nous éclairer, que l'évolution de sa peinture.

En 1918, au Dixième Salon d'État qui ouvre à Moscou au mois de décembre, Malévitch envoie une quinzaine de peintures suprématistes. Parmi ces peintures il y en a une qui représente un *carré blanc sur fond blanc*. Depuis que la peinture existe, jamais un tableau pareil n'a été conçu. Malévitch a pleinement conscience de ce qu'il a entrepris. Conséquent avec lui-même, après avoir réalisé le *Carré noir sur fond blanc,* il découvre que le contraste (naguère noir — blanc) peut être résolu dans l'oppo-

82. Casimir MALÉVITCH, *Carré noir sur fond blanc,* vers 1913.

sition du même au même, du blanc au blanc, telle l'opposition du moi au soi et que ce contraste supprime enfin la réalité objective et s'affirme comme une nouvelle réalité égale à celle qu'elle détruit. L'absence d'objet devient ainsi pure présence de l'abstraction.

Dans le catalogue du Salon, un court texte de Malévitch trahit son exaltation : « A présent le chemin de l'homme se trouve à travers l'espace. Le Suprématisme est le sémaphore de la couleur dans l'illimité. J'ai percé l'abat-jour bleu des limites de la couleur, j'ai pénétré dans le blanc; à côté de moi, camarades pilotes, naviguez dans cet espace sans fin. La blanche mer libre s'étend devant vous. »

Comme on le voit l'exaltation enivre Malévitch. A la faveur de l'abstraction il a touché la limite *consentie* par la peinture. Il l'a rendue visible. Son tableau blanc surplombe le précipice où la peinture cesse d'être. Mais comment se maintenir à cette hauteur? Comment y maintenir l'œuvre qui est mouvement?

Alors Malévitch s'en prend à la peinture, dénonce ses moyens d'expression comme insuffisants. Avec une volonté prométhéenne il veut saisir par la pensée l'étendue qui est au-delà du blanc, découvrir la finalité de la peinture délestée du poids de la réalité. Cette ambition démesurée se trouve consignée dans les trois cents pages du *Monde sans objet.* Il l'écrira quatre ans après avoir peint ses tableaux blancs, en 1922, lorsqu'il a dépassé la quarantaine. Et ce texte qui cherche à contenir la fin et l'infini livrés par l'expérience picturale, représente la plus troublante défense de l'art abstrait que l'on ait jamais entreprise.

« LE MONDE SANS OBJET. » La sensibilité, l'intelligence, la culture de Malévitch, son outrance, ses emportements, tout son être apparaissent dans ce livre et aussi l'enthousiasme des premières années de la révolution avec, à l'horizon, un temps nouveau à construire. On reconnaît bien chez cet homme l'enfant qui se levait la nuit pour regarder l'éclair déchirer l'obscurité, qui aimait cette terrible image d'un instant. Ce souvenir d'enfance extrait d'un carnet inédit de Malévitch (qui est cité par W. Haftmann), situe d'emblée, me semble-t-il, la singulière personnalité de l'artiste. On y retrouve cet homme excessif qui a peint les personnages aux grandes mains

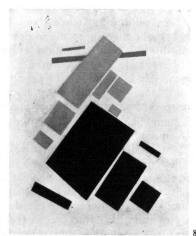

83

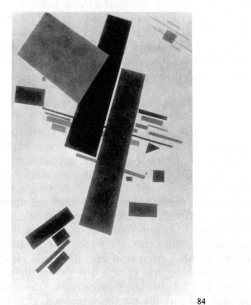

84

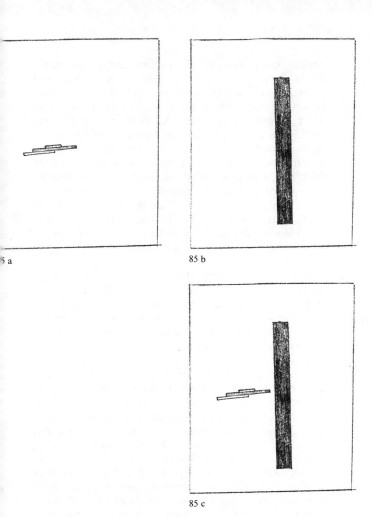

5 a

85 b

85 c

Casimir MALÉVITCH. 83. *Composition suprématiste,* 1914; 84. *Suprématisme dynamique,* 1914; 85 a, b, c, *Dessin suprématiste.*

rouges, qui a assumé l'abstraction comme un rachat de la forme, ce fils du peuple enfin, marqué par le malaise de la pensée russe à la veille de la Révolution, prêt à mettre fin à un monde, pour qu'un autre, meilleur, surgisse. Au moment où il écrit, la Révolution a triomphé et tout ce que Malévitch porte en lui, le goût de l'image extrême, l'attrait de la lumière qui déchire pour révéler, le besoin de faire de celle-ci un symbole, de mettre sur pied un système où la peinture joue un nouveau rôle (proche de celui du sacré, même s'il ne le dit pas lui-même), toute cette matière constitue le prodigieux édifice du *Monde sans objet,* construit — à notre grand étonnement — sur les bases du nihilisme russe.

A côté du spiritualisme fin de siècle de Kandinsky, à côté de la théosophie de Mondrian, une troisième source de l'art abstrait, se rattache, par l'entremise de Malévitch, à ce phénomène typiquement russe que fut le nihilisme. Point par point la démarche de l'esprit de Malévitch correspond aux données idéologiques de ce courant, apparu au xixe siècle et dont la portée dans les années qui précèdent la révolution, dépasse de loin l'organisation militante à laquelle hâtivement on l'identifie. Négation radicale du monde tel qu'il est (négation cependant formulée à l'origine dans les écrits de deux fils de prêtres), le nihilisme primitif, observe Berdiaev, est essentiellement « la recherche de la vérité. Dans ses sources profondes et sous sa forme la plus pure, c'est un ascétisme sans la grâce. Il ne peut admettre l'injustice du monde et sa souffrance, il souhaite la fin de ce monde mauvais, sa destruction et l'avènement d'un monde nouveau ». Que le nihilisme ait préparé le terrain de la Révolution, la chose est certaine; mais on a moins insisté (en Occident) sur sa très forte influence psychologique. (Seul Albert Camus, me semble-t-il, a été sensible à ce

Casimir MALÉVITCH. 86. *Composition*, vers 1917.

87. Casimir MALÉVITCH. Carré blanc sur fond blanc, exposé en 1918.

caractère du nihilisme.) L'homme russe, séparé à cette époque du présent, est à sa façon un « étranger » qui ignore l'indifférence et s'éloigne de l'absurde en plaçant son énergie vitale dans une utopie. Sous la plume de Pissarev, le nihilisme a beau décréter que l'art va contre les besoins réels de l'humanité, malgré ce parti pris social très net, Malévitch sera imprégné par les idées nihilistes. Il est avant tout peintre, mais l'état d'esprit qui a déterminé le nihilisme fait partie de son époque et Malévitch se comporte comme un Russe de son temps. Le saut périlleux qu'il fait dans la peinture abstraite et qui brusquement annule la peinture — ou la transcende, comme il le croit lui-même, ce geste s'explique dans le contexte psychologique russe. Il représente, dans le domaine de l'art, le dépouillement nihiliste, le rejet de tout et la certitude que dans ce « rien » (dans le « nihil ») s'inscrit la vérité. L'audace d'une telle attitude, si on se réfère à Berdiaev, serait due à cet extrémisme caractéristique de la conscience russe qui tend à nier l'importance du relatif et à transporter le relatif dans l'absolu. C'est en somme, l'impuissance de la société à régler la vie (base du nihilisme militant) qui, transférée sur le plan de l'art, signifie dans l'esprit de Malévitch insuffisance des moyens d'expression de la peinture et par là urgence d'un changement radical. Désespoir sans recours qui tourne à l'espoir ailé : telle est l'insolite expérience, l'insolite trajectoire de l'art abstrait que « Le monde sans objet » retrace.

Ce rattachement de l'art au nihilisme, est-il voulu, ou bien s'agit-il d'un inconsciente imprégnation, nous connaissons trop mal la biographie de Malévitch pour répondre. Une chose est certaine : son intelligence, beaucoup plus aiguë qu'on ne l'a dit, s'attaque là à un sujet qui nous touche de près et nous permet de comprendre Malévitch mieux que ne l'ont fait ses contemporains. Est-ce le bruissement du « néant » existentialiste? — ce que Malévitch appelle le « rien dévoilé » résonne en nous et nous retient. Il y a dans sa pensée un singulier relief, qui nous frappe encore plus lorsqu'on songe à sa peinture. Mettre de l'ordre dans cette pensée qui se répète parce qu'elle tourne autour d'un unique point, c'est la mutiler, c'est l'arracher à la conscience de l'obstacle à franchir qui l'habite à tout instant. Or, l'obstacle pour Malévitch n'est autre que l'indicible, l'inexprimable, en somme, l'irréductible noyau de l'art, le « rien » qui engendre le tout. Très logiquement, (précurseur en cela), il finit par s'en prendre à l'impossibilité de la conscience d'embrasser le tout. Il s'acharne, pour reprendre une expression de Maurice Blanchot, « à rendre manifeste une expérience, à saisir comme à sa source non pas ce qui rend l'œuvre réelle, mais ce qui est en elle la réalité impersonnifiée ».

L'existence humaine est pour Malévitch le lieu d'une lutte entre le conscient et l'inconscient, et c'est à l'art qu'il appartient de résoudre cette antinomie. L'art doit atteindre la région où « haut, bas, ici, là, n'existent plus ». Mais la difficulté, le drame c'est qu'en art « il n'y a pas de retour en arrière » et « ce ne sont pas les six couleurs et leurs possibilités de mélange qui pourraient restituer ce qui est ». L'éclairage de la création artistique est sombre chez Malévitch, souvent même pathétique. L'art qui « est une convention parmi tant d'autres » ne prend un sens qu'à partir du moment où il révèle la vérité du monde sans objet, la vérité du « rien ». Là se tient le « sacré » qu'aucune chose saisissable ne peut contenir. L'homme est seul sur terre. Le monde des objets le rejette dans sa solitude. C'est pourquoi il doit à son tour rejeter le monde : « Les beautés de la nature que nous admirons, les collines, les fleuves, les couchers du soleil, ne sont-ils pas le résultat de catastrophes, de changements de poids plutôt que l'expression des lois de la beauté qui préoccupent l'artiste ? » Le réalisme pratique selon lequel l'homme imagine la nature est une illusion dont Malévitch refuse d'être dupe : « Dans ce qu'on appelle nature, il n'y a aucune question ni aucune réponse. Elle est libre dans son rien, libre de toute analyse et de toute synthèse, car l'une et l'autre ne sont que des moyens pratiques de spéculation ». Seul le suprématisme représente « le rien en réponse à la totalité devenue question ».

Après la nature, la négation nihiliste se tourne contre la culture : « La culture n'est autre qu'un transfert de valeurs », tranche Malévitch. « L'eau se soucie peu d'être devenue cette autre réalité H_2O », et il conclut : « Comme le nombre des phénomènes est sans fin, ainsi devrait être sans fin le nombre des domaines de spécialisation. Plus le monde sera morcelé, plus de nouvelles réalités seront découvertes, plus il y aura de secteurs de spécialisation. » L'erreur de l'homme a été de croire « qu'en donnant un nom à chaque chose, il viendrait à bout de la nature ».

Le mépris de la connaissance (attitude plus encore russe que nihiliste) se double chez Malévitch d'une inconsciente nostalgie de la foi qu'il demande à l'art de combler. C'est là qu'intervient l'expérience de la forme abstraite. A la faveur de l'abstraction il croit avoir touché la vérité qu'il élève au rang du sacré. Une sorte de sacré à rebours : « Dans le vaste espace du repos cosmique j'ai atteint le monde blanc de l'absence d'objets qui est la manifestation du rien dévoilé. »

Dans le texte écrit sur un ton neutre, soudain cette phrase à la première personne – « J'ai atteint le monde blanc de l'absence d'objets » – trahit toute l'émotion de Malévitch. Il a peint ses tableaux blancs quatre ans plus tôt, mais le choc qu'il en a reçu dure encore. La silencieuse unité sans objets, présente derrière la multiplicité des choses qui existent, a pu prendre forme. Il a soustrait la peinture au monde extérieur, il a réduit le réel au silence et dans ce silence est venue s'inscrire la pure absence d'objets. C'est le point de départ, proclame-t-il, d'une nouvelle peinture qui se situe au-delà du réel.

Mais est-ce bien un point de départ? Et non pas une fin qui se confond avec le commencement à l'endroit où la boucle se ferme? « L'expérience pure du monde sans objet », « l'homme rétabli dans l'unité originelle en communion avec le tout », « l'art délivré du poids des objets », tout cela n'est-il pas une utopie? Malévitch se refuse à le croire. Mais il n'en reconnaît pas moins que le malheur de l'homme est de ne pas pouvoir *entièrement* penser sa pensée. S'il y parvenait, « les choses pratiques insuffisamment pensées » seraient anéanties. Alors seulement l'homme embrasserait son existence d'un bout à l'autre et ce serait l'avènement du monde sans objet.

Ainsi pour Malévitch l'insuffisance des moyens concrets de la peinture va de pair avec l'insuffisance des facultés abstraites de l'intelligence où il ne voit que le pouvoir d'une pensée discontinue qui dévoile, mais à la manière de l'éclair, le mystère de ce qui est. Pendant qu'il écrit, peut-être parce que ce qu'il veut dire découle de son expérience picturale, il ne cesse de lutter contre la logique : les mots ne contiennent pas ce que le peintre voudrait exprimer. Exaspéré, il plonge alors dans la prophétie. L'acte créateur sans frontières inauguré par le suprématisme éclaire l'avenir, annonce-t-il, tel le socialisme qui est le soleil des peuples. Mais *Le monde sans objet* est, en réalité, un livre qui ne conclut pas, qui ne peut pas conclure, puisque son drame, le drame de Malévitch c'est l'absence d'une conclusion possible aussi bien dans la vie que dans l'art.

Je doute que Malévitch ait beaucoup peint après 1918, après les tableaux blancs qui apparaissent, comme des garde-fous, dans son œuvre et dans la peinture en général. Épris du temps absolu et indifférent à son morcellement conventionnel, il ne datait pas ses tableaux. La chronologie de son œuvre a par conséquent été établie autour et à partir des expositions auxquelles il a participé. Mais de ce fait son évolution se présente comme une succession de traits qui ne forment jamais une ligne continue. D'autant plus qu'il est lui-même peu explicatif quant à la genèse de ses tableaux, étant trop occupé à chercher « la base et le sommet » de la peinture. Il avoue cependant que « la cristallisation du monde sans objet commence là où le

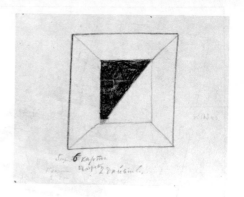

88. Casimir MALÉVITCH, Décor pour *Victoire sur le soleil*, décembre 1913.

monde objectif perd sa signification. Dans la peinture et dans la sculpture, cette cristallisation a commencé, affirme-t-il, avec le cubisme ». Mais comment lui, Malévitch, est-il passé du cubisme à l'abstraction pure, il ne le dit pas. Pas une seule fois il ne prononce le nom de Kandinsky. Est-ce un manque d'affinités, ou un sentiment de rivalité? La réticence de Malévitch laisse place à toutes les suppositions. Ceux qui le fréquentaient à l'époque, ses amis de jeunesse, Larionov, Chagall nous ont tous parlé de son mauvais caractère, du sentiment de supériorité qu'il affichait et qui le rendait souvent désagréable. Dans l'état confus des documents que nous possédons, on a même soupçonné Malévitch d'avoir faussement fixé à 1913 le début du suprématisme, par orgueil, afin de prendre date dans l'histoire de l'abstraction. Camilla Gray suppose qu'en donnant cette date, il se référait au décor abstrait qu'il avait conçu en 1913 pour l'opéra de Kroutchonykh *Victoire sur le soleil.* ^{xx} Mais la phrase en question de Malévitch concernant le début du suprématisme (elle figure dans le catalogue du Dixième Salon de l'Etat) est bien plus précise : « Le suprématisme est né à Moscou, écrit-il, et les premières œuvres (suprématistes)

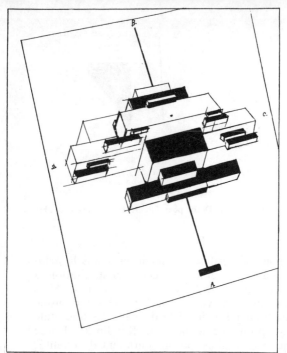

89

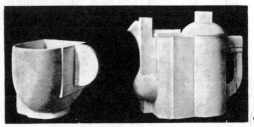

90

Casimir MALÉVITCH. 89. *Projets de bâtiments suprématistes*, 1924;
90. Tasse et théière dessinées pour la Manufacture de l'État, vers 1920;
91. *Maquette de bâtiments suprématistes*, 1924-26.

ont été montrées à une exposition de peinture à Pétrograd. » Cette exposition ne peut être que le Salon de l'Union de la Jeunesse, ouvert en novembre 1913, où Malévitch a très certainement montré ses premiers essais cubo-futuristes. Or, le malentendu s'éclaire si on se réfère à un passage de la plaquette de Malévitch *Bog ne skinut (Dieu n'est pas déchu),* Vitebsk, 1922, introuvable en Occident (cité dans V. Zavalischin : *Early Soviet Writers,* New York, 1958). De cette citation il ressort clairement que dans l'esprit de Malévitch, en 1922, le suprématisme avait déjà franchi deux étapes. Peut-être parce que pour lui tout s'ordonne désormais selon le principe suprématiste, il appelle « Suprématisme cosmique » l'époque abstraite de sa peinture qui représente, dit-il, « la vie dans l'esprit » et il ajoute qu'elle a été précédée par le « Suprématisme mécanique » qui illustrait « la vie dans la machine ». Ce « Suprématisme mécanique » donc n'est autre que la période cubo-futuriste de son œuvre et il est très probable qu'elle a commencé en 1913.

Si toutefois les dates de ce mouvement, à la lumière de nouveaux documents, devaient être à nouveau contestées, ce qui ne peut pas l'être ce sont ses aboutissements. Dans l'histoire de l'art, le suprématisme, ou plus exactement la peinture de Malévitch a, une fois pour toutes, montré la limite de l'abstraction. Limite, à la manière des colonnes d'Hercule dans le monde de l'Antiquité, au-delà de laquelle seule l'imagination s'aventure.

L'élan de la Révolution dévie l'énergie créatrice de Malévitch vers d'autres activités. Dans le domaine de la culture, les institutions publiques s'organisent et se réorganisent. Malévitch enseignera avec ferveur la peinture, exécutera des céramiques pour les manufactures de l'État, créera des modèles de tasses et de théières à l'usage de la nouvelle société qui existe déjà en Union Soviétique et dont il se sent solidaire. Le citoyen s'est substitué au peintre. Puis, en 1924, il publie un manifeste dans lequel il déclare que « le suprématisme déplace son centre de gravité sur le front de l'architecture ». Ce qui représente une double intégration : l'individu se met au service de la collectivité ; l'artiste abandonne l'espace fictif de la peinture et se tourne vers l'espace vrai, celui de l'architecture.

Le tempérament singulier de Malévitch apparaît encore une fois dans cette circonstance. Lui, l'auteur du *Monde sans objet* qui n'est pas architecte, mais peintre, s'éprend, en fait, d'un rêve d'architecte. Le goût de l'absolu l'a conduit en peinture aux tableaux blancs, au-delà desquels plus rien n'est possible. Malévitch tente alors de réintroduire dans la vie les formes essentielles qu'il a conçues au cours de l'expérience suprématiste. Rien de plus impressionnant et de plus significatif que cette tentative, car dans les bâtiments imaginaires dont il trace les plans et exécute les maquettes, Malévitch semble définir les principes mêmes de l'architecture moderne. En même temps, il songe à la fonction de la couleur dans la cité future, écrit une *Sociologie de la Couleur.* A lui seul, parce que son intelligence est à l'aise dans l'extrapolation, après avoir réalisé son œuvre, il cherche aussi à en dégager le message. Et il voit juste quand il s'attaque à l'architecture. Nous n'aborderons pas ici le problème si complexe des rapports de la peinture et de l'architecture au xxᵉ siècle ni le rôle qu'ont pu jouer les découvertes de l'une dans les réalisations de l'autre. Mais qu'il s'agisse de Mondrian ou de Malévitch, il semble bien que l'expérience abstraite en peinture a, idéalement au moins, proposé un ensemble de formes neuves aux architectes. La peinture de Mondrian aboutit à l'architecture à travers l'activité de Van Doesburg. Aucun architecte ne s'est peut-être jamais inspiré des maquettes de Malévitch. Mais ce destin de la forme abstraite que le temps a confirmé, Malévitch l'avait non seulement pressenti, il avait voulu le déterminer.

LA SCULPTURE

En regard de la tradition, la sculpture abstraite fait pendant à la peinture. Comme celle-ci, elle se détache du réalisme, affirme la valeur autonome de la forme. Sa situation est, pourtant, tout à fait différente. En devenant abstraite l'œuvre sculptée est contrainte à affronter — et à surmonter — des difficultés qui proviennent de son existence même : de l'espace réel où elle se tient. La peinture crée son espace qui est fictif. Qu'elle soit figurative ou abstraite, une peinture est toujours fiction. C'est contre cette fiction précisément que s'étaient insurgés les premiers peintres abstraits au nom d'une plus grande authenticité. « La peinture n'a pas besoin de sincérité, mais de vérité », disait Malévitch. Plus de réalité feinte, donc, dans le tableau, mais des formes et des couleurs libres qui portent en elles leur signification. La peinture était appelée à être elle-même, alors qu'elle avait jusque-là fait semblant d'être autre chose, un arbre, un pré. Grâce à l'abstraction, en somme, l'espace que le tableau isole tranchait sur l'espace vrai. S'il restait fictif, il était cependant autonome. A l'intérieur de cette autonomie conquise, la forme abstraite avait d'innombrables possibilités.

Mais comment la sculpture pouvait-elle rejeter l'espace réel qui est la condition de son existence? Sculpture et peinture, au début du siècle, continuaient à évoluer parallèlement, mais à un rythme inégal, du fait de la moindre souplesse « matérielle » de la sculpture qui retarde toujours son évolution par rapport à la peinture. L'une après l'autre, donc, conformément à leur rythme, elles devaient aborder l'abstraction. Mais une fois engagées dans les formes abstraites, leur problème n'était plus le même. Le renoncement à l'espace tridimensionnel, conséquence inévitable de l'abandon du sujet réaliste, était possible à la peinture, non à la sculpture. L'œuvre sculptée ne pouvait se séparer de l'espace réel, elle ne pouvait pas lui opposer un autre espace. Impossibilité qui réduisait considérablement sa marge de liberté. Poussée vers la forme abstraite, une sculpture risque de devenir un objet parmi les objets. Parce qu'elle partage avec eux le même espace, un rien suffit pour que de matière animée, elle devienne matière inanimée. Chercherait-elle, par ailleurs, à vivre dans l'équilibre abstrait des formes, elle rivaliserait avec l'architecture, quittant une nouvelle fois son propre terrain. Prise ainsi entre l'objet et l'architecture, la sculpture abstraite est menacée à chaque pas de perdre son caractère d'œuvre d'art. Cet état particulier devait inévitablement réduire l'amplitude de son évolution. En revanche, l'action de la forme abstraite dans l'espace réel a été d'autant plus forte hors de la sculpture : elle a changé l'aspect de nos objets usuels, de nos meubles. Elle a transformé le cadre entier de notre vie.

Très peu nombreux sont les sculpteurs purement abstraits et l'acheminement même de la sculpture vers l'abstraction sera très laborieux. Une ambiguïté plane sur ses débuts, impossible à dissiper, et cela parce que la sculpture elle-même aux prises avec l'abstraction est constamment dans une position instable. Elle a tendance à pencher soit vers la figuration, soit vers sa propre destruction, comme le veut Dada. Dans la peinture (nous l'avons vu), il existe déjà au XIXe siècle des directions qui vont vers l'abstraction. Dans la sculpture, au contraire, même le cubisme ne prépare pas la venue d'une forme abstraite. Logique dans sa démarche, le cubisme qui multiplie dans le tableau les points de vue sur l'objet, dans la sculpture les limite et les fixe, réduisant la forme au cube. Il se détourne ainsi de la sculpture traditionnelle qui s'inscrivait dans la sphère et offrait au spectateur qui tournait autour d'elle un nombre infini de points de vue. Conçue selon les plans nets du cube, la sculpture de Laurens ne perdra jamais de vue la réalité. Celui donc que l'on considère comme le sculpteur cubiste par excellence ne suscitera pas de postérité abstraite.

Mais il est, en outre, un second élément qui interdit de voir dans le cubisme le préambule de la forme abstraite en sculpture; Laurens lui-même exécute ses premières constructions en 1915, quand la sculpture abstraite est un fait accompli. Ce décalage dans le temps, joint à l'impossibilité pour l'œuvre sculptée de se soustraire à l'espace réel éloigne l'évolution de la sculpture abstraite de celle de la peinture, malgré l'identité de leurs aspirations.

VLADIMIR TATLINE. La sculpture abstraite apparaît vers 1914 dans l'esprit de cet étrange artiste que fut Vladimir Tatline. Peintre et sculpteur, marin pour gagner sa vie, musicien à ses heures pour voir Paris, l'ami et l'ennemi par excellence de Malévitch, Tatline passe dans l'histoire de l'art comme un météore. De son œuvre il n'existe aujourd'hui que des photographies à l'exception de deux pièces, une composition et un relief, conservés à la Galerie Trétiakov. La hardiesse de ses vues et ses grands dons se sont pourtant imposés, l'étonnement admiratif suppléant à la connaissance directe là où celle-ci fait défaut.

Il fallait sans doute une personnalité aussi peu conventionnelle, aussi révoltée et candide à la fois que celle de Tatline, pour se lancer à rénover la sculpture d'emblée et radicalement comme il l'a fait. Mais d'abord que savons-nous de lui?

Tatline est né en 1885 à Kharkov, en Ukraine. Sa mère, qui était poétesse, meurt quand il a deux ans. Son père, un ingénieur sévère et méthodique, se remariera. La distance entre le père et le fils, qui ont peu de traits communs, devient alors un abîme. Tatline sera l'enfant incompris grandissant dans la haine envers ses parents. Tel l'avait connu le peintre Larionov bien avant leur rencontre à Moscou, en 1910.

A dix-huit ans, Tatline quitte définitivement la maison paternelle, s'engage comme marin et, entre deux voyages, fréquente d'abord l'école des beaux-arts de Penza et plus tard celle de Moscou.

Mêlé aux manifestations de l'avant-garde, il expose en 1912 des peintures et des dessins inspirés des pays où il a fait escale, Égypte, Turquie, Grèce. Puis, en 1913, il part pour Berlin avec un orchestre folklorique russe (il y joue de l'accordéon) et de la manière la plus imprévue (en revendant une montre que le Kaiser, dit-on, venait de lui offrir), il débarque à Paris. Il n'a qu'une idée en tête : aller trouver Picasso. Et il réussit à le trouver. Picasso se souvient encore de ce jeune Russe débordant d'enthousiasme qui était allé à son atelier et lui avait demandé de l'engager comme serviteur pour pouvoir rester à Paris. Comme Picasso déclina son offre, Tatline dut rentrer en Russie. Mais ce voyage éclair fut pour lui une révélation. Dès son retour il exécuta son premier relief peint, très proche des reliefs que Picasso faisait à la même époque et qu'Apollinaire venait de publier dans *Soirées de Paris*. 92

Le peintre Tatline, devenu soudain sculpteur, s'était engagé dans une expérience qui devait, très rapidement, le conduire à concevoir une sculpture totalement abstraite. Aucun tâtonnement dans la nouvelle technique et une surprenante promptitude à assimiler l'influence de Picasso — c'est ainsi que l'on pourrait définir ses débuts dans la sculpture. L'explication, la seule, serait un sens inné de l'espace qu'il aurait développé, à son insu, en réalisant des décors de théâtre auxquels il avait travaillé avec grande application de 1911 à 1913. La scène est un espace réel qui attend du décor un ordre. Le peintre qui s'en charge, s'il est un peu original, fait un travail de sculpteur. Ce « maniement » de l'espace a donc pu rendre Tatline réceptif à l'enseignement de Picasso qui était loin d'être explicite, surtout dans l'immédiat. Les reliefs que Picasso avait conçus à l'époque représentent, en effet, la phase terminale du cubisme où la fragmentation de l'espace a

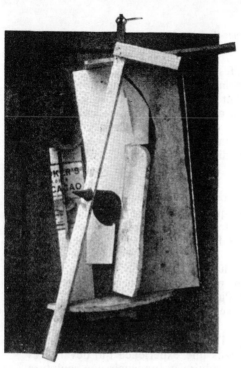

92. Pablo PICASSO, *Guitare*, 1913.

déjà fait éclater l'objet. Dans ses reliefs (de même que dans les papiers collés), Picasso reconstitue l'objet avec des pièces détachées, étrangères l'une à l'autre. En les assemblant il crée une unité issue de leurs oppositions et, s'il recourt à des matériaux communs (planches de bois, clous, cordes), c'est pour souligner jusqu'à la charge l'action directe de la matière. C'est, au fond, le même désir qui a provoqué les papiers collés cubistes, et les reliefs de Picasso sont, en réalité, une transposition des papiers collés, un audacieux commentaire, en somme, des principes cubistes. Voilà pourquoi la leçon qui s'en dégage, malgré les apparences, reste

liée à la peinture. Or, Tatline l'appliquera, sans
hésitation, à la sculpture. Mérite considérable,
si on songe que même Laurens, à la vue des premières œuvres cubistes avait eu le sentiment
d'« une hallucination ». Elles l'avaient rempli « d'un
trouble inexprimable », mais il ne les avait pas
« comprises tout de suite ».

Tatline, lui, avait compris tout de suite.

En l'absence des originaux qui ont été détruits,
le texte d'une monographie sur lui, parue en 1921,
vient à l'appui des photographies qui nous restent

93. Vladimir TATLINE, *La Bouteille*, 1913.

de ses sculptures (N. Pounin, *Tatline,* Pétrograd, 1921). Grâce aux passages repris par Camilla Gray, nous avons quelques renseignements sur la démarche de Tatline et, en particulier, sur l'acheminement de son œuvre vers l'abstraction, à partir de l'explication qui nous est donnée d'un de ses premiers 93 reliefs. Il s'agit d'un relief qui représente une bouteille. Sa forme, découpée dans une plaque de métal, s'inscrit comme une silhouette vide, la surface courbe et pleine de son volume étant figurée par un autre morceau de métal arrondi en cylindre et placé plus bas que la bouteille. Enfin, pour exprimer l'idée de transparence liée au verre de la bouteille, Tatline recourt à une métaphore plastique : un grillage métallique qu'il ajoute à côté de la bouteille. Ce qu'il fait est clair. Il dissocie la forme du volume et le volume de la matière; il laisse, en somme, l'objet se déployer dans l'espace du relief, mais cet espace en recompose l'unité en se composant lui-même, en devenant « une composition avec bouteille ». De là à prendre conscience que l'élément décisif est cette relation entre l'espace et la forme, il n'y a qu'un pas. Et Tatline le franchira sans délai. Avec un instinct très sûr il juxtaposera des matériaux anti-traditionnels : ciment, cuivre, verre, fer, tôle polie et en faisant jouer leurs oppositions, il exécutera certains reliefs d'une frappante rudesse; puis, sans se complaire dans ses découvertes, il décide que « l'art doit être descendu de 94 son piédestal ». Désir où il serait faux de voir des inflexions Dada, car il n'est autre chose que l'ambition de faire de la sculpture un équivalent de la réalité. Sur le plan pratique cela se traduit par la suppression du cadre qui entoure le relief. Laissé ouvert dans l'espace vrai, celui-ci devient alors le « contre-relief ». Tatline réalise ses premiers contre-95 reliefs vers 1914 et ce sont les premiers exemples de sculpture abstraite. Comme ce qui a disparu dans

Vladimir TATLINE. 94. *Relief abstrait,* 1914; 95. *Contre-relief,* 1914-15.

ces sculptures, c'est la masse, très logiquement
Tatline ne peut pas les *poser*. Il est obligé de les
suspendre, afin qu'elles soient *entièrement* dans
l'espace. Car ce qui distingue en tout premier lieu
la sculpture abstraite, c'est cette compénétration
de la forme et de l'espace. La sculpture abstraite
n'est plus masse fermée, volume, mais intersection
de plans, où l'air circule, où le regard pénètre.
Plus tard, au cours de son évolution, elle pourra,
à l'occasion, faire appel à la masse et au volume,
mais sa conquête fondamentale (dont la sculpture
figurative bénéficiera aussi) demeure néanmoins
la « trouée » du volume, l'emploi du vide comme
valeur constructive. Cette recherche est pour la
première fois lucidement poursuivie dans les reliefs
de Tatline et elle aboutit, peu après, à ses contre-
reliefs.
   Au moment même où il conçoit ces derniers,
Tatline pressent déjà que la sculpture, pour être
abstraite, doit faire siens les principes de la construction. « De vrais matériaux dans le vrai espace »,
tel est son programme de sculpteur. Conséquent
avec lui-même, il entreprend alors d'étudier le
comportement particulier de chaque matériau,
persuadé que le renouveau de la sculpture doit pro-
céder d'une véritable « culture des matériaux »
dont il se propose d'établir les rudiments. Là aussi
Tatline fait figure de précurseur. Parallèlement à la
conception spatiale, la sculpture abstraite inaugure,
en effet, une nouvelle ère en ce qui concerne l'emploi des matériaux, la matière étant elle-même une
source de renouvellement de la technique. Auparavant la sculpture ne connaissait que la taille
directe ou la fonte. Aujourd'hui on sculpte en sou-
dant, en collant, en emboîtant des pièces les unes
dans les autres. Le verbe sculpter a perdu son sens
propre pour en acquérir un autre, bien plus vaste,
et cette profonde révolution a commencé avec la

sculpture abstraite. Incapable de rejeter l'espace réel, comme l'avait fait la peinture, la sculpture a rejeté sa matière traditionnelle. Si la peinture en devenant abstraite est restée peinture à l'huile, la sculpture abstraite a cessé d'être bronze, pierre, marbre. Il lui a fallu se séparer de sa matière habituelle, pour maintenir, en les modifiant, ses rapports avec l'espace qui l'entoure.

Cette nouvelle condition de la sculpture est clairement ressentie par Tatline qui, avec un extrémisme bien russe, cherche à en explorer les possibilités jusqu'au bout, comme le prouve son évolution. Le changement intervenu dans la conception plastique est à ses yeux radical. Il affecte le destin de la sculpture, remet en question sa destination. L'œuvre sculptée peut et doit être l'œuvre totale qui retrouve sa place dans la vie de la cité. C'est dans cet esprit que Tatline conçoit le *Monument de la IIIe Internationale*. Ayant embrassé avec ferveur les idées de la Révolution, il travaille près de deux ans, en 1919-1920, à la maquette de ce monument qui lui a été commandé. Pour lui, le monument représente le symbole des temps nouveaux et il le voit comme une forme liée au dynamisme de la vie. La triple spirale désaxée qui le constitue est en fer. A l'intérieur sont logés, l'un sur l'autre, un cylindre, un cône et un cube de verre qui contiennent, chacun, plusieurs salles de conférences et de réunions. Au sommet est installé un centre d'information destiné à diffuser sans interruption des bulletins, des proclamations, des manifestes. Chacune de ces trois parties accomplit un mouvement de rotation autour de son axe — et cela au rythme des révolutions de la terre : un jour pour le cube qui est au sommet, un mois pour le cône et un an pour le cylindre. Ce monument, haut de 400 mètres, devait être élevé au centre de Moscou.

Jamais il ne fut construit. A l'état de projet, tel qu'il est resté, il ne garde pas moins sa valeur de recherche. Du point de vue historique, en effet, ce monument (dont il ne reste que la photo de la maquette) nous montre comment le désir de Tatline de faire entrer la sculpture dans la vie, en se concrétisant, aboutit à une gigantesque machine et indique par là les limites de l'abstraction en sculpture.

Le futurisme, par la voix de Boccioni, avait décrété que l'art devait parvenir à l'expression simultanée de l'espace et du temps. Mais les futuristes, et Boccioni lui-même, en tant que sculpteur, ne songeaient pas aux formes abstraites. Car leur formule, appliquée à la lettre à une forme abstraite, trouve son parfait accomplissement dans la machine. Tatline, conscient de cela, cherche par un véritable tour de force à donner une signification à son monument. Il le veut « habité » au sens propre et au figuré : habité par l'esprit de la Révolution, perpétuellement en mouvement au rythme de l'univers. Mais cette surcharge idéologique surmonte-t-elle la difficulté à laquelle se heurte la sculpture abstraite poussée à ses dernières conséquences? Il est permis d'en douter.

Et Tatline lui-même devait en douter. Jusqu'à la fin de sa vie (il meurt en 1953) et avant de revenir à la peinture figurative sous le régime de Staline, il ne tentera de réaliser qu'une seule œuvre, et elle restera inachevée. C'était un planeur qu'il avait appelé *Létatline* (nom obtenu par la fusion du verbe voler − en russe « létat » − et de Tatline), mais il s'agit d'une œuvre à laquelle le mot sculpture ne convient plus dans son acception courante. Tatline semble avoir commencé ce travail vers 1927. Parallèlement à son activité pratique au service de la Révolution (il dessine des modèles de vêtements et de meubles pour l'industrie, dirige un atelier de céramique), il cherche, nouvel Icare, à mettre au

96. Vladimir TATLINE, *Monument pour la IIIe Internationale.*

point une sorte de super-sculpture : un planeur qui doit affronter l'air et là, dans la grande étendue libre, apparaître, en plein vol, comme une forme en mouvement. Ce sera une œuvre de sculpteur qui aura enfin dominé l'espace et le temps, mais organiquement et non mécaniquement. A la manière de l'oiseau et non pas à la manière de la machine. Visiblement, dans cette sculpture utopique, Tatline lutte contre l'aridité de la sculpture abstraite. On raconte qu'il prenait des larves d'insectes, les élevait dans une boîte, puis les mettait en liberté dans un champ, attentif à ne rien perdre de leurs mouvements à l'instant où ils s'envolaient pour la première fois... Croyait-il pouvoir ainsi percer le secret de la structure vivante? *Létatline* (dont les maquettes et les dessins furent exposés en 1933) ne prit jamais le vol.

Quant aux difficultés inhérentes à la sculpture abstraite, d'autres artistes avaient entre-temps cherché à leur façon à les résoudre : Pevsner et son frère Gabo, moins intuitifs que Tatline, avaient vu dans la rigueur absolue l'avenir de la sculpture abstraite et leur certitude les avait poussés à définir leur

97. Vladimir **TATLINE**, *Théière conçue par l'artiste*, 1927-30.

propre position au sein de la tendance que l'on désignait, depuis les expériences de Tatline, sous le nom de « constructivisme ».

LE CONSTRUCTIVISME. En 1920 les deux frères, Antoine Pevsner et Naum Gabo, publient un manifeste qu'ils distribuent dans les milieux artistiques de Moscou. Quoique le mot constructivisme ne soit pas mentionné dans le texte, ce manifeste est le plus souvent appelé *constructiviste*. Or, il ne fonde, ni n'épuise le constructivisme. De la part des deux frères c'est une prise de position esthétique provoquée par les circonstances : la Révolution qui a commencé par consacrer l'avant-garde, tend à présent à confondre art et socialisme. L'art officiel, en Union Soviétique pendant ces années, est sans conteste l'art abstrait, avec Malévitch et Tatline comme chefs de file. Mais une question divise les artistes : quel doit être le rôle de l'art dans la société communiste? Les uns – Tatline qui est un utopiste et Rodchenko qui est un communiste fanatique – répondent qu'il doit être entièrement au service du peuple. Les autres soutiennent, au contraire, que l'art est une activité spirituelle qui n'a rien à voir avec l'utilité pratique. Ces défenseurs de l'art libre sont : Kandinsky (qui vit à l'époque à Moscou), Malévitch et Pevsner et Gabo. L'art abstrait, donc, en Union Soviétique, se trouve divisé, vers 1920, en deux clans adverses qui se livrent bataille à l'occasion de maintes manifestations. Ainsi, lors d'une exposition de groupe, Tatline refuse de reconnaître les suprématistes (Malévitch et ses disciples) comme des peintres professionnels; ainsi Rodchenko riposte en 1918 aux tableaux blancs de Malévitch en exposant une peinture *Noir sur noir*. Ainsi Pevsner et Gabo signent en 1920 leur manifeste qui est une défense de l'art pur. Considérés par la critique

comme des constructivistes (de même que Tatline
et Rodchenko) ils représentent de cette manière
l'une des branches du constructivisme – l'autre,
liée surtout à l'activité de Rodchenko (nous le
verrons plus loin), étant dirigée vers l'application
pratique des formes abstraites.

PEVSNER ET GABO.   Au moment du manifeste, en
1920, Pevsner (né en 1884) a trente-six ans et Gabo
(né en 1890) en a trente. Le premier, qui a fré-
quenté l'Académie de Saint-Pétersbourg et séjourné
à Paris de 1911 à 1914, fait de la peinture depuis
son plus jeune âge et n'exécutera ses premières
sculptures qu'en 1922 pour enfin devenir abstrait
vers 1927. (Peintre abstrait il l'a été bien avant,
comme l'attestent certaines compositions de 1917-
1918 d'une indéniable originalité.)
      Son frère Gabo, au contraire, a une formation
scientifique. Parti pour Munich afin d'y étudier la
médecine, il s'intéresse à la chimie, aux mathématiques, à la physique et décide de devenir ingénieur.
Mais il suit en même temps le cours d'histoire de
l'art de Wölfflin, rencontre Kandinsky, lit *Du
Spirituel dans l'Art,* voyage en Italie, en 1912,
lorsque le futurisme bat son plein, visite Paris, où
il voit les œuvres cubistes. En 1915, quand il s'est
réfugié, à cause de la guerre, en Norvège, il réalise
ses premières sculptures : des personnages construits uniquement avec des plans, découpés et réu-
nis de manière à éviter tout volume. (C'est à ce
moment-là qu'il prend le pseudonyme de Gabo,
pour ne pas être confondu avec son frère.)
      De retour en Russie en 1917, Gabo est retenu,
comme Pevsner, par l'esthétique abstraite et peu
avant la publication du manifeste, en 1919-1920, il
exécute des dessins tout à fait constructivistes dont
le *Projet pour une station de Radio.* Ce projet, d'une

98. Naum GABO, *Projet pour une station de radio*, 1919-20.

part, et l'atmosphère révolutionnaire de l'autre, forment le contexte esthétique et historique qui situe le manifeste constructiviste de Pevsner et de Gabo dans sa juste lumière.

« Nous nions le volume comme expression spatiale, déclarent-ils. L'espace peut autant être mesuré par un volume qu'un liquide pourrait l'être par un mètre linéaire. La profondeur est l'unique forme d'expression de l'espace. Nous rejetons la masse (physique) comme élément de la plastique. Tout ingénieur sait que la force de résistance et la statique d'un objet ne dépendent pas de sa masse. [...] Nous nous libérons des erreurs millénaires des Égyptiens qui prétendirent que l'élément de l'art ne pouvait être qu'une rythmique statique. [...] Nous annonçons que les éléments de l'art ont leur base dans la rythmique dynamique. »

Ce qui frappe en lisant ce texte, c'est de voir qu'il ne correspond ni à la peinture de Pevsner ni à la sculpture de Gabo, telles qu'elles étaient en 1920, mais que, en revanche, il définit parfaitement les sculptures que l'un et l'autre réaliseront plus tard, quand ils auront à nouveau quitté leur pays, en 1922, et qu'ils se seront établis, l'un, Pevsner, à Paris (où il meurt en 1962) et Gabo, d'abord à Berlin jusqu'en 1932, ensuite en Angleterre, et depuis 1946 aux États-Unis.

Il faut par conséquent considérer leur manifeste comme un programme fixé avec une remarquable perspicacité et réalisé avec méthode et persévérance. (On ne saurait imaginer tempéraments plus opposés à ceux d'un Malévitch, d'un Tatline!). Des deux, c'est Gabo qui semble le plus décidé. Du reste, il avouera plus tard à son ami Herbert Read, que l'auteur du manifeste c'est lui. Ce qui en explique le ton et l'absence de références à la peinture, alors que le second signataire, à l'époque, n'était que peintre. Est-ce de la part de Pevsner une question de réflexes plus lents ou une particulière docilité qui répondait, en vérité, à de profondes affinités en vertu desquelles l'un des frères pouvait souscrire à ce que l'autre pensait, obscurément sûr de l'identité de leurs points de vue? En tout cas, l'évolution de Pevsner et de Gabo obéit à cette étrange osmose, le cadet, Gabo, entraînant l'aîné qui ne fait cependant pas figure de disciple.

C'est Gabo qui, après avoir réalisé son *Projet pour une Station de Radio,* songeant sans doute aussi au *Monument de la IIIᵉ Internationale* de Tatline, se persuade que si la nouvelle sculpture avance sur cette voie, elle aboutit ni plus ni moins à une construction du type de la tour Eiffel (conçue en 1889!), que la régression est, par conséquent, manifeste (avis que Kandinsky partageait entièrement) et que la première tâche de la sculpture constructiviste était de sortir de cette impasse. Fort de ses connaissances techniques et mathématiques, il fixe alors son attention sur le mouvement, et, entre 1920 et 1922, il met au point ses premières constructions où la forme est obtenue par le mouvement (un cylindre, par exemple, résulte d'un rectangle en rotation). En parfait homme de science, il appelle ces sculptures « Constructions cinétiques », car ce qu'il vise n'est pas le simple mouvement, mais l'énergie du mouvement. Gabo n'est pas dupe : la sculpture ne doit pas imiter la machine. Si c'est un blâme pour le constructivisme d'être confondu avec l'architecture de la tour Eiffel, c'est une impasse aussi que d'être assimilé aux machines. Cette hantise de la machine jalonne toute l'évolution de la sculpture abstraite. Fernand Léger qui dans sa peinture avait souvent associé la machine à l'expression de son temps, aimait à se rappeler l'enthousiasme de Marcel Duchamp s'écriant devant les hélices des avions : « Qui fera mieux ? » Défi qui annonce déjà la fin de l'art que Dada allait bientôt proclamer. Marcel Duchamp refusait la rivalité contre laquelle précisément la sculpture abstraite devait lutter. Dans ce sens la tactique la plus savante fut déployée par Gabo au risque même de faire perdre à la sculpture abstraite toute chaleur expressive.

Après avoir introduit le mouvement comme facteur esthétique générateur de formes, Gabo assez rapidement l'abandonne au nom d'un « mouvement immobile » qui s'impose à son esprit par analogie avec la science : « Regardez un rayon de soleil, dira Gabo, il va à la vitesse de centaines de kilomètres à la seconde. » L'expression de ce mouvement-là, qui est purement abstrait, délivre, selon lui, la sculpture de toute menace mécanique. C'est cette conviction profonde qui marquera son œuvre entière. Dans le *Monument pour un observa-*

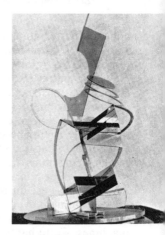

99   100

toire qu'il exécute en 1922 on note déjà la prédilection qu'il aura toujours pour des matériaux légers, translucides, comme le verre ou le plexiglas, les matériaux les plus immatériels en quelque sorte, dont il n'hésite pas à se servir même dans ses sculptures monumentales, son rêve étant de conférer à ses œuvres une aérienne légèreté (que l'excès de précision malheureusement alourdit).

101

Rigueur, volonté d'une forme minutieusement mise au point, jeux de vides et de pleins, tels sont les caractères dominants de la sculpture de Gabo. On pourrait définir par des termes presque identiques celle de Pevsner qui ne se distingue de son frère que par sa préférence de plus en plus affirmée pour le métal, matière dont la solidité entraîne la composition vers d'autres exigences. De là également la différence d'esprit qui, malgré les similitudes, sépare les œuvres des deux frères. Alors que Gabo tend à supprimer l'effet de la lumière et de l'ombre, en travaillant avec de la matière transparente qui ne leur donne pas de prise, Pevsner, au

Naum GABO. 99. *Construction cinétique.* 1920; 100. *Monument pour un observatoire,* 1922; 101. *Construction dans l'espace,* achevée en 1957.

contraire, cherche à approfondir l'ombre dans des
formes qui restent pourtant ouvertes de toutes
parts. Il faut dire que cet épaississement de l'ombre
que la composition souligne comme un inaccessible
mystère, est une conquête tardive dans l'œuvre
102   de Pevsner. Devenu sculpteur à l'exemple de son
frère, ayant opté pour l'abstraction telle que celui-ci
l'avait déjà conçue, ayant d'abord adopté les mêmes
103   matières légères et transparentes, il finit néanmoins par se détacher de Gabo et par l'influencer
à son tour. La personnalité de Pevsner s'affirme
lorsqu'il trouve sa matière à lui, les lamelles de
métal qu'il soude l'une contre l'autre, de plus en
plus serrées, jusqu'à ce qu'il obtienne une surface
presque unie, mais extrêmement souple à la vue.
Le métal ainsi traité, comme s'il était à la fois
raide et malléable, permet à Pevsner de réaliser ce
qui me semble être sa découverte capitale : l'insen-
sible passage du vide au plein, leur intime liaison,
l'un étant le revers de l'autre. A partir de la rigidité
scandée du constructivisme initial, il aboutit à une
forme continue, à une matérialisation de l'espace
qui n'est pas sans rappeler le développement spatial
de certaines formules mathématiques. Défaut selon
certains, cette identification à une réalité scientifique est, selon d'autres, un mérite. Quoi qu'il en
soit, un tel processus qui devient la description
littérale de certaines données abstraites extérieures
à l'art, pose la question que nous reprendrons : une
sculpture abstraite quand elle atteint à l'abstraction
absolue, ne devient-elle pas concrète en ce sens
qu'elle exprime des lois et un ordre soustraits à la
vue, mais existants?

LE CONSTRUCTIVISME FONCTIONNEL. Au moment
où Pevsner et Gabo prennent parti pour la sculpture pure, la scission du constructivisme est un fait

102

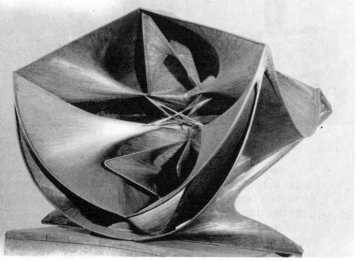

103

Antoine PEVSNER. 102. *Construction dans l'espace*, 1923-25; 103. *Germe*,
1949.

104

105

accompli, et comme, de surcroît, ils émigrent, les deux branches de cette tendance qui ont pour commune origine l'œuvre de Tatline, évolueront dans des directions de plus en plus divergentes.

En 1923, la revue *Lef* publie dans son premier numéro le programme des constructivistes soviétiques, conçu comme un appel : « L'art est mort! [...] Cessons notre activité spéculative (de peindre des tableaux) et retrouvons les bases saines de l'art – la couleur, la ligne, la matière et la forme –

106

107

Alexandre RODCHENKO. 104. *Construction suspendue,* 1920; 105. *Construction de distance,* 1920; 106. Couverture de la revue *Lef.* Moscou, 1923; 107. Club des travailleurs conçu par Rodchenko. Pavillon soviétique, exposition des Arts décoratifs à Paris en 1925.

dans le domaine de la réalité qui est celui de la construction pratique. »

La personnalité marquante du groupe est *Alexandre Rodchenko* (1891-1957). Ancien élève de l'École des Arts appliqués de Moscou, prolétaire d'origine et communiste fervent, il accepte avec enthousiasme l'idée de soumettre l'art aux besoins de la société. Jusque-là, son activité purement esthétique, si elle révèle une certaine originalité, fait preuve néanmoins d'une instabilité foncière.

Deux sculptures de lui, réalisées la même année, en 1920, procèdent de deux conceptions complètement opposées. L'une, intitulée *Construction de distance* est massive, rectangulaire; l'autre qui est une *Construction suspendue* donne une grande impression de légèreté, grâce au mouvement, provoqué par la suspension, qu'accomplissent les cercles parfaits, emboîtés les uns dans les autres, dont elle se compose. Quant aux peintures que Rodchenko exécute parallèlement, elles n'ont guère de valeur que polémique : en 1918, pour attaquer Malévitch qui venait de montrer son *Carré blanc sur fond blanc,* il expose un *Cercle noir sur fond noir* – ce qui est une confirmation de l'incohérence de Rodchenko en tant qu'artiste.

Voilà pourquoi nous sommes portés à croire que la part la plus authentique de son activité se déploie dans le domaine de la typographie et aussi du photo-montage dont il est un des pionniers, l'ayant employé pour la première fois en 1923. L'exemple qui résume le mieux ses recherches graphiques est la couverture de la revue *Lef.* Il dessine, en outre, des modèles de meubles qu'on verra au Pavillon soviétique à l'Exposition des Arts décoratifs à Paris, en 1925. Ce pavillon, qui était d'ailleurs le plus résolument moderne de l'exposition, fut le seul exemple réalisé selon l'esthétique du constructivisme. Car le rôle social que celui-ci s'était proposé de jouer rencontrait un obstacle majeur dans les difficultés économiques que l'Union Soviétique traversait. Le dessin industriel qui, en principe, aurait dû être le premier à bénéficier des acquisitions constructivistes, ne se développa guère. Malgré ses efforts, le constructivisme marqua plus le théâtre et le cinéma soviétiques que le décor de la vie : des metteurs en scène comme Taïrov, Meyerhold ou Eisenstein furent influencés à un certain moment par la vision plastique du constructivisme.

Le seul domaine pratique où le constructivisme ait joué un rôle est celui de la typographie. L'artiste dont l'activité a fait date à cet égard est *El Lissitzky* (1890-1941). Peintre par vocation, architecte de formation (il avait fait ses études en Allemagne), il jouera un double rôle : d'abord celui de dessinateur et ensuite celui d'ambassadeur, de propagandiste du constructivisme à l'étranger. Influencé par Malévitch, il conçoit à partir de 1919 des affiches, dessine des caractères typographiques et réalise des mises en page qui sont des modèles du genre. A la différence des travaux analogues de Rodchenko qui sont statiques et parfois lourds, ceux de Lissitzky ont une force dynamique qui saisit le regard. L'emploi fréquent de la diagonale, l'équilibre asymétrique, tendu (d'origine suprématiste), leur confèrent un rythme et une élégance auxquels la publicité moderne doit beaucoup.

Entre 1921 et 1930, Lissitzky effectuera de nombreux voyages à travers l'Europe, travaillera aussi bien en Union Soviétique qu'en Allemagne. En 1922, il est chargé d'aménager une salle de la grande exposition d'art contemporain russe qui se tient à la Galerie Damien de Berlin — puis la salle de peinture abstraite du musée de Hanovre, aujourd'hui malheureusement détruite. La même année, il commence à Berlin (avec Ilya Ehrenburg) la publication de la revue internationale d'art *Vecht — Gegenstand — Objet,* dont il a dessiné la couverture. Cette revue réunit des articles en russe, en allemand et en français : elle ne dépassera pas le deuxième numéro, mais elle aura inauguré les liens entre l'avant-garde occidentale et l'avant-garde soviétique que l'infatigable Lissitzky consolidera grâce à des contacts personnels avec les membres du groupe « De Stijl » et avec les milieux

108

109

111

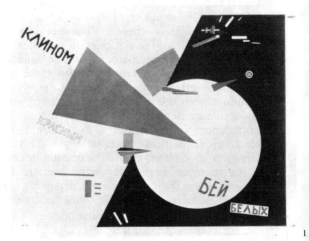

1

El LISSITZKY. 108. Couverture pour le recueil de Maïakovsky *Les éléphants dans le Komsomol*. Moscou, 1929; 109. Couverture de la revue *Vecht*. Berlin, 1922; 110. *Affiche*, 1919-20; 111. La Salle de peinture abstraite aménagée par Lissitzky au Musée de Hanovre vers 1925 (détruite pendant la guerre).

du Bauhaus. Ainsi les mouvements abstraits, isolés jusque-là, finiront par s'unir et provoqueront l'expansion de l'art abstrait qui se manifestera autour des années trente, mais seulement en Occident, l'Union Soviétique ayant banni l'esthétique abstraite*.

* L'attitude des Russes à l'égard de l'art abstrait n'a guère changé comme il ressort du livre de Можнягун С. Е., *Абстракционизм, разрушение естетики*, publié à Moscou en 1961. Selon cet auteur l'art abstrait est un moyen nécessaire à la bourgeoisie pour « distraire l'attention du peuple de la réalité qui l'entoure ». La philosophie idéaliste, en niant le contenu objectif de la connaissance en matière d'art, a définitivement séparé l'art de la vie. D'où l'art abstrait qui est une expression évidente de la crise du capitalisme. Le fait cependant qu'un auteur soviétique a consacré une importante étude à l'art abstrait et qu'il n'a pas dissimulé le rôle d'un Kandinsky ou d'un Malévitch, constitue en soi un élément nouveau.

Si le Bauhaus représente en quelque sorte le creuset de cette fusion, *De Stijl* est de loin l'élément le plus actif.

DE STIJL. La revue mensuelle *De Stijl,* dont le premier numéro paraît à Leyde en octobre 1917, est incontestablement la publication qui a contribué le plus à l'expansion des formes abstraites, par-delà la peinture et la sculpture, dans l'architecture, la décoration, l'ameublement, la typographie et, enfin, dans le cinéma. Son extraordinaire force de rayonnement est due à la collaboration de deux artistes qui se complètent : Mondrian le théoricien et Théo Van Doesburg, l'homme d'action. Dans les colonnes de *De Stijl,* Mondrian publie entre 1917 et 1922 la plus grande partie de ses textes où il expose ses théories. Mais il écrit en hollandais et, de surcroît, dans un langage alourdi d'abstraction au point de paraître hermétique. Et c'est *Théo Van Doesburg* (1883-1931) qui en devient l'interprète officiel. Entre le solitaire et taciturne Mondrian d'une part, et le monde, de l'autre, s'interpose le très sociable et brillant Van Doesburg qui était à la fois peintre, architecte, écrivain, conférencier. Il avait l'esprit si vif et des dons si frappants que certains contemporains seraient enclins à penser que Mondrian subissait (jusque dans sa peinture) l'influence de Van Doesburg — ce qui nous semble difficile à soutenir. Il est toutefois hors de doute que le contact avec cet homme dynamique, intelligent et ouvert a été des plus bénéfiques pour Mondrian. D'autant plus que leurs rapports avaient commencé dans les circonstances les plus favorables pour lui : Van Doesburg avait écrit en 1915 (quand personne ne s'intéressait à la peinture de Mondrian) un article élogieux sur lui à l'occasion d'une exposition de groupe au musée municipal

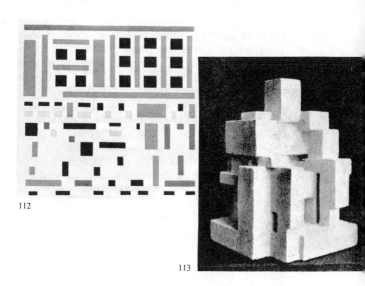

112

113

112. Bart VAN DER LECK, *Composition géométrique n° 2*, 1917. — 113.
Georges VANTONGERLOO, Construction en volumes, 1918.

d'Amsterdam. Cet article devait provoquer leur
rencontre et, plus tard, la fondation de la revue,
malgré la réticence avec laquelle Mondrian avait
accueilli au début l'initiative de Van Doesburg.

Au moment de sa fondation, le groupe « De
Stijl » comprenait outre Mondrian et Van Doesburg,
trois autres artistes : le Hollandais Bart van der
Leck (qui dans une conversation avec M. Seuphor,
en 1950, déclarera qu'il avait été le premier à songer à la création de la revue), le Hongrois Wilmos
Huszar et le sculpteur belge Georges Vantongerloo.
A côté des artistes, parmi ses membres fondateurs,
il y avait aussi trois architectes hollandais, Oud,
Wils et van't Hoff, dont la présence souligne
l'orientation de *De Stijl.* Comme son nom l'indique, l'ambition de cette revue est de créer un
style.

Dans le premier numéro, la rédaction expose son programme (sous la plume, dit-on, de Van Doesburg) : « Cette petite revue veut être une contribution au développement de la nouvelle conscience esthétique. Elle veut la rendre moderne, accessible aux choses neuves dans les arts plastiques. Vis-à-vis de l'embrouillement archaïque — « le baroque moderne » — elle veut poser les principes logiques d'un style mûrissant, fondé sur l'équivalence pure de l'esprit de l'époque et des moyens d'expression. Elle veut réunir en elle les courants de pensée actuels se rapportant aux arts plastiques, courants qui, tout en étant semblables dans leur essence, se sont développés indépendamment les uns des autres.

« La rédaction s'efforcera d'atteindre ce but en donnant la parole à l'artiste *authentiquement* moderne pouvant contribuer à la réforme du sens esthétique et à l'éveil de la conscience plastique. Là où le public est en retard sur l'art, c'est la tâche de l'homme de métier de réveiller chez les profanes le sens du beau. L'artiste *authentiquement* moderne, pleinement conscient de ce qu'il fait, a une double mission à remplir. D'abord, de produire l'œuvre d'art de plastique pure; ensuite de rendre le public apte à s'ouvrir à cet art pur. C'est pour cela que la création d'une revue d'un caractère intime s'imposait. Et s'imposait d'autant plus que la critique officielle a montré une singulière carence à informer le public au sujet de l'art abstrait. La rédaction de cette revue invitera donc les techniciens eux-mêmes à remplacer les critiques déficients. »

Ce programme peut servir aussi de commentaire à l'activité de « De Stijl » dans la mesure où, ce qui est rare, il a été intégralement appliqué. C'est dire son importance historique et le rôle décisif qu'il jouera grâce à l'efficacité de Van Doesburg.

Peu après la parution de la revue, certains membres quitteront le groupe, d'autres viendront s'y joindre. Mondrian lui-même revient en 1919 à Paris et ne participera au mouvement que par sa collaboration à la revue. Mais « De Stijl » forme déjà un noyau cohérent : dans tous les domaines son activité s'inspire de la vision plastique dont Mondrian a jeté les bases. Exclusivement et éminemment peintre, celui-ci n'appliquera ses intuitions esthétiques que dans sa peinture. Mais le théosophe qu'il est (nous avons vu la force de ses convictions), sensible à la « nouvelle image du monde », ne peut ne pas être séduit — et, partant, influencé — par les applications pratiques de la nouvelle plastique qui sont l'œuvre du groupe « De Stijl ». Ces applications ne constituent-elles pas à ses yeux la preuve tangible de l'avènement d'un monde supérieur, un pas sur le chemin de la perfectibilité spirituelle qui ennoblit et transforme la matière, comme le veut la doctrine théosophique ? C'est dans ce sens, je crois, que l'on doit envisager les rapports entre Mondrian et le groupe « De Stijl ». Devant les réalisations de Van Doesburg, devant ses projets d'architectures ou ses dessins pour des linoléums qui envahiront le marché, devant les réalisations d'un architecte comme Oud, ou comme Rietveld, Mondrian change. Sa propre peinture se durcit. Mais ce durcissement où on a voulu voir une influence directe de Van Doesburg, me semble plutôt être provoqué par la certitude de Mondrian qu'une nouvelle ère commençait. Qu'il se soit mépris, que son imagination utopique ait confondu une étape de l'évolution industrielle avec l'absolu, qu'il ait vu dans les moyens accrus de la production en série un triomphe de l'esprit, cela ne fait pas de doute. (Une étude sociologique des faits

114

115

114. J. J. P. OUD, *Maison à Nordwijkerhout*, Hollande. 1917. *Plancher* dessiné par VAN DOESBURG. – 115. Théo VAN DOESBURG, *Projet pour une maison*, 1922. – 116. J. J. P. OUD, *Café de Unie*, Rotterdam, 1925. – 117. Gerrit Thomas RIETVELD, *Maison Schröder à Utrecht*, 1923-24.

serait, j'imagine, révélatrice.) Mais il est certain que c'est en ces années-là et de cet esprit-là que naîtra le style du xxe siècle, le style de tous ses objets et en partie aussi celui de son architecture.

Dans ce sens il est symptomatique que Mondrian, le peintre qui épure la perception óptique jusqu'à l'imperceptible, qui travaille une toile pendant des années, par ailleurs n'attache pas de prix au tableau en tant qu'exemplaire unique. L'idée

116   117

qu'un tableau de lui puisse exister en plusieurs
exemplaires ne le gêne pas. Ce rêve de peinture en
série ne s'explique que dans le contexte de « De
Stijl » et prouve, en outre, à quel point Mondrian
était de l'avis de Van Doesburg, lorsque celui-ci
déclarait : « Nous devons remplacer le monde brun
par le monde blanc ».

Pendant que Mondrian médite sur l'essence de
ce monde blanc, remplissant de ses textes la plus
grande partie de la revue, Van Doesburg voyage,
séjourne longuement en Allemagne, où il fréquente,
entre 1920 et 1923, aussi bien les milieux du Bauhaus à Weimar que les milieux Dada à Berlin. Partout il fait des adeptes. *Hans Richter* (né en 1888,
actuellement professeur de technique cinématogra-
phique au City College de New York) qui avait
appartenu au groupe Dada de Zurich, adhère en
1921 à « De Stijl » et réalise son premier film abstrait *Rythme* inspiré des formes néo-plastiques.
Cette tentative de Richter avait été précédée par
les recherches analogues de son ami, le Suédois
Viking Eggeling (1880-1925), qui avait également
été membre du groupe Dada de Zurich. En 1919
déjà, celui-ci avait commencé à peindre des rou-

118

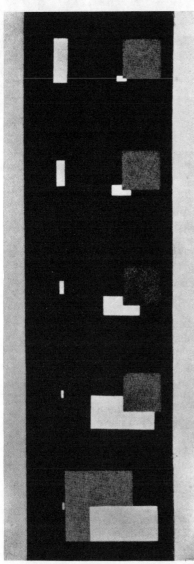

118

118. Hans RICHTER, fragment du film *Rythme 21*, 1921. — 119. Viking EGGELING, fragment du film *Symphonie diagonale*. Berlin, 1921. — 120. Fernand LÉGER, fragment du film *Le Ballet mécanique*, 1924.

 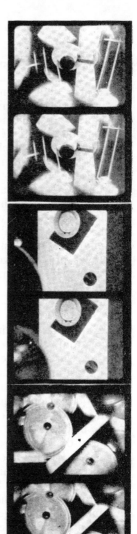

119   120

119   leaux d'images dont il fit un film abstrait *La Sym-*
phonie diagonale qui fut présenté à Berlin en 1922.
Ce film, réalisé comme celui de Richter sur le principe du dessin animé (c'est-à-dire en filmant des
images préalablement peintes) constitue l'essai le
plus abouti de cinéma abstrait. Mais le cinéma, art
de masse par excellence, sera à peine effleuré par
l'abstraction. Néanmoins, en 1924, Fernand Léger
réalisera avec le photographe américain Dudley
120   Murphy le film abstrait *Le Ballet mécanique* en
employant la technique courante, c'est-à-dire en
filmant des objets vrais arrangés de manière à créer
une composition abstraite. C'est par cette voie que
l'influence de l'esthétique abstraite se fera sentir
sur les prises de vue réelles. De la même manière
l'action du constructivisme russe est perceptible
dans les cadrages du *Cuirassé Potemkine* d'Eisenstein.

En 1925, les prolongements fonctionnels de
l'esthétique abstraite commencent à se manifester
dans toute l'Europe. Le décor 1900 avec ses volutes
et ses surcharges est mort. C'est ce qui ressort de
l'Exposition internationale des arts décoratifs organisée à Paris en 1925. Mais cette nouvelle unité
plastique, vers laquelle convergent peinture, sculpture, arts appliqués et architecture a déjà été rendue évidente deux ans plus tôt, en 1923, par l'exposition du groupe « De Stijl » qui s'est tenue à la
galerie Léonce Rosenberg à Paris – mémorable
exposition qui marque la cohérence du nouveau
style, mais aussi l'imminente séparation, puis la
rupture, entre Mondrian et Van Doesburg. Celui-ci,
depuis 1922, rédige en même temps que *De Stijl*
une nouvelle revue, *Mécano,* qui est de tendance
Dada. Aux yeux de Mondrian cette initiative de
Van Doesburg compromet le néo-plasticisme, et la
dissolution du groupe « De Stijl » est dès lors inévitable.

121. La maison de Théo Van DOESBURG à Meudon-Val-Fleuri conçue par lui-même en 1929.

L'activité débordante de Van Doesburg ne s'arrêtera pas pour autant. En 1926, il publie un nouveau manifeste *Le Manifeste élémentariste* qui rompt avec la verticalité absolue du néo-plasti-cisme. En 1928, il participe, avec Jean Arp et Sophie Taeuber-Arp, à la décoration de la brasserie *L'Aubette* à Strasbourg (aujourd'hui détruite). En 1929, il crée une nouvelle revue *Art concret* et trace les plans de sa propre maison à Meudon près de Paris. Il meurt à Davos, en 1931, à l'âge de quarante-huit ans avant que celle-ci ne soit terminée.

Si l'histoire a parfois été injuste avec Van Doesburg, si la postérité parle peu de cet homme dont les contemporains ont tant parlé, c'est qu'il était de ces êtres très doués et séduisants, génies de l'instant, à qui il manque la patience requise par l'œuvre. On ne saisit la vraie dimension de Van Doesburg que si on songe à l'action qu'il exerça sur ses contemporains, en particulier au Bauhaus.

LE BAUHAUS. En 1919, l'architecte Walter Gropius avait fondé à Weimar une école d'art et d'architecture d'un genre nouveau — le fameux Bauhaus, qui demeure une expérience unique dans son genre. Avec un idéalisme typiquement alle-mand, cette école avait été fondée pour que tous les arts, tous les métiers et toutes les disciplines liés aux arts, y soient enseignés en vue de leur inté-gration dans l'architecture. C'était l'unique endroit au monde où l'enseignement tournait résolument le dos au passé et ne s'occupait que des nouvelles structures plastiques. Dans les années troubles de l'après-guerre qui avaient vu le triomphe de Dada, le Bauhaus représente au contraire le triomphe de l'harmonie, une harmonie nouvelle qui devait mettre fin à toutes les discordances. Choisis parmi les premiers peintres d'Allemagne, les professeurs étaient, entre autres, Kandinsky, Klee, Feininger, Schlemmer, et dans une telle atmosphère il est clair que l'abstraction fut à l'honneur.

L'arrivée de Van Doesburg à Weimar, écrit Alfred H. Barr Jr. « provoqua une véritable révolution » et l'influence du néo-plasticisme fut immédiate, particulièrement sur l'architecture allemande. Comparant un tableau de Van Doesburg *Danse russe*, 1918, au plan d'une maison de campagne que Mies van der Rohe traça en 1922, le même auteur démontre d'une manière éclatante cette influence qui sera décisive dans l'évolution de l'architecture allemande et qui s'étendra aussi à l'ameublement et à la typographie. [127] [126] [128] [129]

Parallèlement au néo-plasticisme, le Bauhaus accueille le constructivisme, dont l'influence s'exerce d'une part par l'intermédiaire de El Lissitzky, et, de l'autre, par la présence du Hongrois *Laszlo Moholy-Nagy* (1895-1946) qui enseignera au Bauhaus à partir de 1922 et sera chargé de diriger la célèbre collection des Bauhausbücher (livres édités par le Bauhaus). Peintre, sculpteur, photographe, étant lui-même marqué par le constructivisme, il appliquera un système d'enseignement fondé sur la « culture des matériaux », chère à Tatline et destinée à développer chez les élèves le sens de la matière. Curieux personnage, Moholy-Nagy a lié son nom à la photographie abstraite dont l'Américain Man Ray a été le pionnier. [130] [131]

Mais ce bastion de l'avant-garde que fut le Bauhaus n'a pas survécu. Transféré d'abord à Dessau (1926) et plus tard à Berlin (1932) il fut finalement fermé par le régime nazi (1933). Malgré tant de difficultés, il a néanmoins rempli sa mission : il a approfondi la conscience de l'époque à l'égard de son propre style.

122

123

L'Aubette de Strasbourg (aujourd'hui détruite). 122. Sophie TAEUBER-ARP, *Composition-panneau,* 1927; 123. Théo VAN DOESBURG. Salle des Fêtes, architecture et peinture, 1926-28; 124. Sophie TAEUBER-ARP. Un coin du bar; 125. Jean ARP. Mur principal du caveau-dancing.

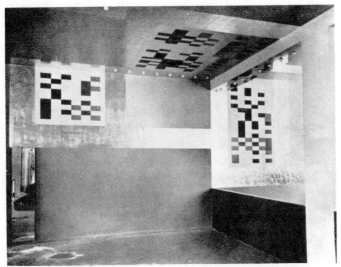

124

125

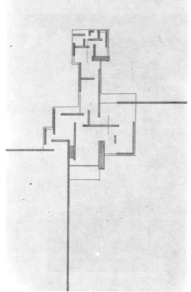

126

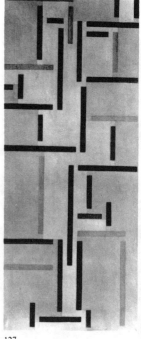

127

126. Mies VAN DER ROHE, *Plan d'une maison de campagne*, 1922. —
127. Théo VAN DOESBURG, *Danse russe*, 1918. — 128. Marcel
BREUER, Salle à manger de Kandinsky, 1926. — 129. C. O. MÜLLER,
Affiche, Munich, 1927. — 130. Laszlo MOHOLY-NAGY, *Photogram-
me*, 1925.

128

129

130

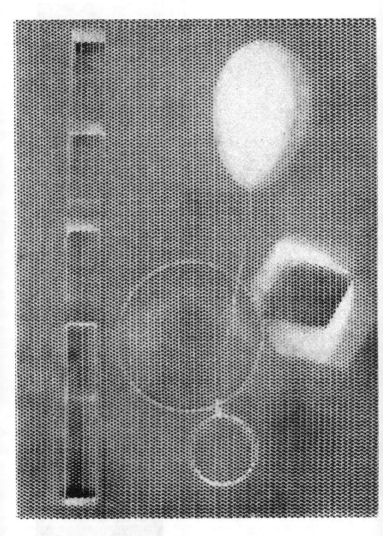

131. Man RAY, *Rayographe*, 1922.

2

L'art abstrait
des années trente

LA PEINTURE

Quand on a vu les origines de la peinture et de la sculpture abstraites et qu'on regarde ensuite leur évolution, on constate que la période 1910-1920 est la grande époque de création de la forme abstraite; la période qui lui succède, 1920-1930, est, au contraire, une phase expérimentale où l'on s'occupe de l'application pratique des acquisitions de l'art abstrait. Les pionniers ont cherché dans l'absolu les formes qui se prolongent ensuite dans le relatif, transforment le cadre de la vie. Preuve irréfutable de la vitalité de l'abstraction, ces prolongements n'en épuisent cependant pas les possibilités.

Si nous nous sommes étendus sur les origines et les débuts de l'art abstrait, c'était pour mieux discerner les éléments qu'il contient en germe, ceux qui se sont réalisés les premiers et ceux qui se réalisent actuellement mais que, faute de recul, nous ne distinguons pas clairement. Car, ne l'oublions pas, le phénomène de l'abstraction est en cours de développement et plus les étapes de son évolution sont proches de nous, moins nous les voyons en profondeur. Leur portée, fatalement, nous échappe. Ainsi, quand nous nous penchons sur l'art abstrait des années trente, les faits et leur signification sont beaucoup moins nets. Et ils cessent tout à fait de l'être dès qu'on aborde l'étape suivante, celle qui a commencé après 1945. On peut à la rigueur dégager quelques grandes lignes de l'abstraction des années trente, quoique la plupart du temps les artistes nous apparaissent comme des cas isolés, impossibles à ramener à un commun dénominateur. Quant à la période suivante, il n'y a en elle, pour nous qui en sommes les contemporains, que des cas isolés, des artistes qui émergent et d'autres qui s'estompent, au gré de jugements de valeur entièrement subjectifs.

Ce qui distingue en premier lieu les années trente c'est le nombre des artistes abstraits. La vision abstraite s'est généralisée et, du même coup, elle a perdu son acuité. Si, autour de ses promoteurs, il y avait eu auparavant quelques fanatiques de la première heure (comme ce fut le cas surtout en Russie), désormais les artistes convertis à l'abstraction se comptent par centaines. Le mouvement « Abstraction-Création », fondé à Paris en 1931 et qui sera actif jusqu'en 1936, finit par grouper dans les expositions internationales qu'il organise annuellement plus de 400 peintres et sculpteurs, — 416 exactement à l'exposition de 1935, dont 251 étaient français, les autres allemands, suisses, anglais, hollandais, et il y avait même 35 Américains. Quand on pense qu'à Paris la première exposition internationale consacrée exclusivement à l'art abstrait avait eu lieu à peine cinq ans plus tôt, en 1930, sur l'initiative du groupe « Cercle et Carré », cette brusque expansion nous ferait croire à un triomphe de l'abstraction. Mais comme en art la quantité n'entraîne pas nécessairement la qualité, tout cela ne se situe guère qu'au niveau de la mode.

En tant que mode, ce phénomène peut être expliqué. Indépendamment de leurs œuvres, nous l'avons vu, les grands pionniers de l'art abstrait ont beaucoup écrit. Si diverses que soient leurs théories, elles ont un point commun : elles rationalisent l'imagination créatrice et donnent l'impression de fournir des procédés infaillibles pour l'élaboration de l'œuvre d'art, comme si celle-ci n'était pas, chaque fois, une marche dans l'inconnu. Le désir, en somme, qu'éprouvent les premiers peintres abstraits à élucider leurs propres moyens d'expression prend l'aspect d'un système, et ce « système », mis à la portée de la grande masse des artistes, crée cette mode de l'art abstrait qui bat son plein dans les années trente.

Or, les mêmes raisons qui font de l'art abstrait une mode contribuent, à cette époque, à l'enliser. L'abstraction systématisée est géométrique, mais elle a perdu la valeur essentielle de quête, d'absolu qu'elle avait dans l'esprit d'un Mondrian, d'un Kandinsky ou d'un Malévitch. Pour la plupart des membres d'Abstraction-Création, en dépit de l'appellation, la forme abstraite n'est pas création, mais manière dépourvue de toute signification. Si on parcourt aujourd'hui les quelques numéros de la revue du même nom, publiée par les fondateurs du mouvement, elle nous apparaît lourdement datée dans la mesure où elle essaie de codifier la géométrie plastique sans se soucier de lui conférer une raison profonde. Il n'est pas d'art, qui moins que l'art abstrait supporte d'être généralisé. L'erreur de la grande majorité des artistes abstraits des années trente a été de n'avoir vu que le côté extérieur de l'abstraction géométrique, sans en deviner le contenu. Ainsi l'objectivité propre à la forme géométrique a engendré la facilité. Des artistes ont cru pouvoir devenir abstraits du jour au lendemain. L'abstraction s'est séparée de l'instinct créateur et la période 1930-1940 a connu simultanément la vogue de l'art abstrait et sa première période de régression.

Si la plupart des artistes qui s'étaient ralliés à Abstraction-Création ont appauvri la leçon plastique reçue, il en est cependant parmi eux qui ont su l'élargir ou tout au moins l'enrichir d'une nuance personnelle. Ce sont, sans exception, ceux d'entre eux qui ont cherché dans la forme abstraite une signification nouvelle.

Tel est, dans l'ensemble, le cadre historique à l'intérieur duquel l'art abstrait poursuit son chemin avec l'impérieuse logique de ses débuts. La peinture abstraite a déjà détruit le volume; elle a abouti au plan et, de là, elle se dirige vers le mur. Le grand rêve d'objectivité qui anime les formes géométriques les pousse à dépasser le tableau de chevalet et à s'unir à l'architecture. La peinture de chevalet n'est-elle pas apparue dans l'art européen qu'avec la Renaissance, au xive siècle, et quoi de plus naturel que l'art du xxe siècle, dans son désir de rompre avec la vision plastique de la Renaissance, ait eu la tentation de dépasser le tableau et d'affronter le mur? C'est là l'aspect le plus intéressant d'une époque, par ailleurs assez morne et c'est là qu'intervient dans l'histoire de l'art abstrait la personnalité de Robert Delaunay, dont les recherches nous semblent parfois avoir été mal comprises.

ROBERT DELAUNAY (1885-1941). On a tendance à situer Delaunay aux origines de l'art abstrait : il a, en effet, peint des tableaux abstraits en 1912-1913, mais sa passion pour la couleur, même si elle aboutit à l'abstraction, reste liée aux problèmes posés pas le cubisme. Cette confusion qui remonte, sans doute, au temps où le cubisme était considéré comme un mouvement abstrait, c'est Delaunay lui-même qui la dissipe dans ses écrits, avec la probité et l'intelligence qui lui sont propres.

« Vers 1912-1913, écrit-il, j'eus l'idée d'une peinture qui ne tiendrait techniquement que de la couleur, des contrastes de couleur, mais se développant dans le temps et se percevant simultanément, d'un seul coup. J'employais le mot scientifique de Chevreul : les contrastes simultanés. Je jouais avec les couleurs comme on pourrait s'exprimer en mu-

sique par la fugue des phrases colorées, fuguées.
[...] On ne peut nier l'évidence de ces phrases colorées vivifiant la surface de la toile de sortes de me-
sures cadencées, se succédant, se dépassant en des
mouvements de masses colorées – la couleur agis-
sant cette fois presque en fonction d'elle-même, par
contrastes. »

25   Les tableaux que Delaunay conçoit de cette
manière forment la série des *Fenêtres,* treize toiles
dans lesquelles, précise-t-il, à côté des éléments
abstraits subsistent encore des images concrètes,
des morceaux de rideaux, la tour Eiffel. « Ces
images, quoique traitées abstraitement, étaient des
réminiscences des vieilles habitudes, plus basées sur
un état d'esprit ancien que trempées, vivifiées par
un métier nouveau, un métier de notre temps. [...]
Alors, poursuit Delaunay, il m'est venu l'idée de
supprimer les images vues par la réalité : les objets
qui venaient interrompre et corrompre l'œuvre
colorée. Je m'attaquai au problème de la couleur
24   formelle. Mes premières formes colorées circulaires
sont à cheval entre 1912 et 1913 – et toute cette
époque est une recherche technique de la peinture. »

Ces notes, écrites en 1933, constituent non seulement une précieuse mise au point, mais nous
aident à comprendre la position particulière de Delaunay dans l'art abstrait. Il a l'expérience profonde
et authentique de l'abstraction, il connaît les exigences de la forme libre de toute attache avec la
réalité, mais, après 1913 et jusqu'aux environs de
1930, il continue de peindre des tableaux figuratifs.
Le problème qui prime dans son esprit est celui des
cubistes : comment introduire la réalité dans un
espace transposé – avec cette différence que, pour
lui, l'espace n'est pas une transposition géométrique, mais purement chromatique. Son titre de
gloire (il le doit à Apollinaire) est d'avoir pu faire

rentrer la couleur dans la composition cubiste qui, par principe, s'en écarte. Ces recherches occupent entièrement Delaunay, mais comme elles sont toutes liées à la couleur, quand il devient abstrait vers 1930, en plus de ses solides connaissances techniques, il a la conscience de l'action autonome des moyens d'expression qui fonde la peinture abstraite. Il a, en somme, la maîtrise et l'intelligence de l'abstraction. Voilà pourquoi il n'est pas étonnant que Delaunay ait pressenti les possibilités murales de la peinture abstraite et les ait réalisées. Dans ce sens, grâce à lui, l'art abstrait fait un pas en avant. Son rôle de peintre abstrait, il le joue, donc, dans

132. Robert DELAUNAY, *Rythmes sans fin.* 1937.

les années trente, indépendamment de l'importance que son œuvre avait eue au début du siècle.

A partir de 1930, Delaunay réalise de nombreux reliefs peints qu'il appelle le plus souvent *Rythmes sans fin*. Il en exécutera plusieurs pour le Palais des Chemins de fer, ainsi qu'une peinture murale de 780 m² pour le Palais de l'Air dans le cadre de l'Exposition de Paris. Jusqu'à la fin de sa vie (Delaunay meurt en 1941), cette conception très originale de peinture murale retiendra son attention. Ce qu'il a entrepris, il nous l'explique lui-même dans une note de 1934 : « L'art abstrait est le complément du véritable mur de l'architecture moderne, le mur n'étant plus un symbole, mais une réalité vivante et construite dans l'espace. [...] La peinture abstraite vivante n'est pas constituée d'éléments géométriques parce que la nouveauté n'est pas dans la distribution des figures géométriques, mais dans la mobilité des éléments constitutifs. »

Ces éléments constitutifs sont des cercles dont la disposition, jointe à l'action de la couleur, forme un rythme où s'exprime le pouvoir de l'abstraction à l'état pur.

Le travail de Delaunay ne doit pas être séparé de celui de sa femme, *Sonia Terk-Delaunay* (née en 1885) qui, en dehors d'une œuvre picturale proche de celle de Delaunay, conçoit en 1913 un « livre simultané » en illustrant le poème de Blaise Cendrars *La Prose du Transsibérien et de la Petite Jehanne de France*. En outre, vers 1925, elle lance des « tissus simultanés » dont les couleurs vives et les formes nettes constituent une révolution dans l'industrie textile.

133. Sonia TERK-DELAUNAY, *Tissus simultanés*, 1923. — 134. *La Prose du Transsibérien et de la Petite Jehanne de France*, poème de Blaise Cendrars, couleurs simultanées de Sonia Terk-Delaunay, Paris, 1913 (détail).

133

134

A la veille de la guerre de 1939, l'atelier des Delaunay à Paris est un véritable foyer de l'abstraction. Une fois par semaine, ils reçoivent leurs amis. Au cours de ces réunions Robert Delaunay explique longuement sa conception de l'art abstrait. Ainsi aide-t-il de jeunes artistes à trouver leur voie, comme Serge Poliakoff, dont nous parlerons plus tard.

Pendant ces mêmes années, un autre artiste attiré par la peinture murale est l'Allemand *Willi Baumeister* (1889-1955). Membre d'abord du groupe « Cercle et Carré », ensuite du mouvement « Abstraction-Création », il a un sens très aigu de la matière qui l'amène dès 1920, à considérer la peinture de chevalet elle-même comme de la peinture murale. La forme, toujours ample et claire dans les compositions de Baumeister, fait appel à des tons où l'on sent que le peintre est intervenu dès le broyage des couleurs, mélangeant du sable, de la colle, afin d'enrichir la matière de sa peinture. Cette matérialité qui constitue pour Baumeister l'essence même de la peinture, fera de lui un précurseur de l'informel à certains égards. Contraint d'interrompre son travail pendant le régime hitlérien, c'est seulement après la guerre qu'il connaîtra une renommée internationale.

Parmi les membres fondateurs d'« Abstraction-Création », figure aussi le peintre *Kupka* (1871-1957). D'origine tchèque, installé à Paris depuis 1894, il expose au Salon d'Automne de 1912 ses premières peintures abstraites. Toute sa vie il restera fidèle à l'idée, déjà manifeste alors, que la peinture est création pure, mais son œuvre, malgré cette conversion précoce à l'abstraction, ne possède pas l'envergure qui aurait pu faire de lui un pionnier de l'art abstrait. Et cela, peut-être parce que la forme abstraite

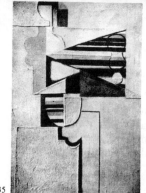

135

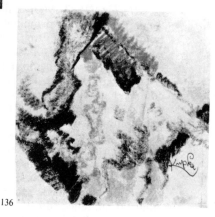

136

135. Willi BAUMEISTER, *Figure avec bandes II*, 1920.
136. Frank KUPKA, *Printemps*, 1911-12.

chez Kupka ne parvient pas à sublimer les éléments qui l'ont suscitée. Il y a en lui, d'une part, le désir d'aligner la peinture sur la musique (désir qui avait poussé quelques années plus tôt le Lithuanien Ciurlionis à peindre des toiles abstraites), et il y a, d'autre part, le goût esthétisant de l'Art Nouveau, à la suite des influences décoratives et illustratives qu'il avait subies lors de son séjour à Vienne avant 1894. Trop enclin à chercher les correspondances « entre les sons et les couleurs », Kupka néglige les

exigences spécifiques de la peinture et, comme il
semble se complaire dans l'art pour l'art, l'abstraction qu'il conçoit, reste plutôt un insolite prolongement du xixᵉ siècle qu'une affirmation du xxᵉ. C'est
sans doute pour cette raison que la réelle finesse de
136   l'artiste apparaît surtout dans ses pastels et ses
gouaches.

Herbin (1882-1960) qui fut non seulement le
fondateur, mais le principal animateur d'« Abstraction-Création », est un étrange artiste chez qui
l'austérité plastique, l'ascétisme de Mondrian se
trouvent filtrés et infléchis par un tempérament latin.
A son tour, Herbin, « l'opiniâtre et fier solitaire »,
comme l'appelle Jean Cassou, cherche la signification de l'art abstrait qu'il refuse d'accepter comme
une combinaison tout extérieure de formes. L'abstraction   gratuite   l'effraie.   Contrairement   à   la
grande masse d'artistes abstraits qui, à cette époque,
sans plus songer aux raisons d'être de l'art abstrait,
sombrent dans un formalisme stérile, Herbin se met
à étudier l'hermétisme symbolique et subit, en particulier, l'influence du théosophe Hoene Wronski.
Le chemin de Mondrian, il le refait à lui seul en
abrégé et finit par élaborer sa vision abstraite, persuadé de contribuer par son travail d'artiste au per-
fectionnement de l'humanité.

137   Sa peinture ne comporte que des formes géométriques, parce qu'elles sont, selon lui, à l'origine
de toutes les formes de la nature et qu'elles offrent
des surfaces claires où la couleur peut se déployer.
La couleur, appelée à avoir autant de force que la
forme géométrique, est souvent pure, posée à plat
sur toute l'étendue de la toile afin de donner aux
contrastes la plus forte résonance. Outre la conception, la technique elle-même devient système dans
le tableau d'Herbin. Il va jusqu'à mettre au point un
alphabet plastique, établissant des correspondances

137. Auguste HERBIN, *Jaune*, 1946. – Otto FREUNDLICH. 138. *Composition*, 1929; 139. *Ascension*, 1929.

qu'il croit absolues, entre les formes, les couleurs et les lettres en tant que sons. Cette excessive rigidité dans laquelle il enserre la création artistique, si elle rebute parfois le spectateur, exerça néanmoins une influence considérable sur les jeunes peintres abstraits en France au lendemain de la dernière guerre. Le système visuel établi par Herbin fit de lui pour un moment le chef de file de l'abstraction géométrique, surtout après la parution de son livre *L'art non-figuratif non objectif,* publié en 1948.

Avec une ferveur non moins fanatique, mais soutenu par une culture bien plus vaste, *Otto Freundlich* (1878-1943) se préoccupe aussi de trouver un contenu universel dans la forme abstraite. Cet Allemand qui travaille à Paris depuis 1909 s'est posé le problème de l'abstraction dès 1924. Profond, méditatif, il s'est attaqué à la différence essentielle qui existe entre l'art et la réalité : « Nous nous trouvons toujours *devant* le tableau, écrit Freundlich, alors que nous sommes toujours *dans* la nature », et il poursuit en énonçant une vérité première, très simple à première vue, mais qui est fondamentale pour la compréhension de l'art abstrait : « Il nous faut toujours faire un pont entre nous et le tableau, alors que le pont entre nous et la nature est fait par notre existence. » C'est en faisant « ce pont » justement que l'art abstrait est pur, alors que le réalisme ne l'est pas, parce qu'il se substitue à l'existence. Ce que la forme abstraite refuse, ce sont les faux-semblants du réalisme et ce qu'elle assume, c'est une manière d'être authentique. La profondeur et l'originalité de la pensée de Freundlich sont incontestables, et bien que son œuvre soit très restreinte, elle donne cependant la mesure de ses qualités exceptionnelles de peintre et de sculpteur.

Comme peintre, Freundlich recherche avant

tout une sorte de vibration intérieure de la couleur, qu'il obtient en étalant, côte à côte, des tons voisins, répartis dans des formes géométriques qui semblent ainsi se prolonger les unes dans les autres. (Cette construction chromatique de Freundlich sera plus tard une précieuse leçon pour Serge Poliakoff, comme il l'a lui-même avoué.) Le même principe, celui d'un déploiement progressif, obtenu par la succession des formes séparées, confère à la sculpture de Freundlich une cohésion massive et une puissance que l'on rencontre rarement au xxᵉ siècle. Ses œuvres demeurent ainsi parmi les plus beaux exemples de sculpture abstraite, la moins aride, la plus riche et épanouie qui soit.

138

139

Ce rapide tour d'horizon, nécessairement incomplet, ne pourrait cependant pas s'achever sans que soient mentionnés certains peintres, convertis à l'abstraction dans les années trente et qui ont abouti à une expression personnelle. C'est le cas de l'Italien *Alberto Magnelli* (né en 1888), des Allemands *Theodor Werner* (né en 1886) et *Fritz Winter* (né en 1905), du Français *Jean Hélion* (né en 1904), une des plus jeunes recrues d'« Abstraction-Création », dont le retour, vers 1940, à une figuration stricte, a été un acte courageux, souvent mal interprété. C'est enfin le cas de *Ben Nicholson* (né en 1894), un des peintres anglais les plus en vue, mais que, aujourd'hui, on ne pourrait plus qualifier d'abstrait, quoique la charpente de ses compositions demeure abstraite. Le trait de Ben Nicholson, même lorsqu'il retrace la réalité, semble garder une nostalgie de la pureté des formes géométriques. Et il en est de même de sa couleur, toujours discrète, prête à s'estomper pour laisser agir le blanc – le blanc et ses nuances à peine perceptibles que les tableaux de ce peintre ont souvent voulu saisir.

140
141
143
142

144

140   141

140. Alberto MAGNELLI, *Bois gravé*, 1942. – 141. Theodor WERNER,
Oiseau, 1934. – 142. Jean HÉLION, *Équilibre*, 1934. – 143. Fritz WINTER,
Construction en blanc, 1934. – 144. Ben NICHOLSON, *Nature morte*, 1931.

142

143

144

LA SCULPTURE

Le sculpteur qui domine dans les milieux abstraits pendant les années trente est, sans conteste,
Jean Arp (1887-1966). Mais avant d'aborder son
œuvre une question doit être posée : dans quelle
mesure la sculpture d'Arp est-elle abstraite? Question qui exige une réponse d'autant plus précise
qu'elle a été soulevée autour de 1930 pour l'ensemble de l'art abstrait.

A cette époque, vingt ans après l'apparition des premières formes abstraites, les artistes qui ont cessé d'être figuratifs éprouvent de plus en plus le sentiment que leurs œuvres touchent le fond même de la réalité, qu'elles ne sont donc nullement abstraites et qu'il serait plus juste de les appeler *concrètes.* C'est dans cet esprit que Théo Van Doesburg lance la revue *Art concret.* Elle ne dépassera pas le premier numéro (paru en avril 1930), mais le terme d'art concret connaîtra une grande fortune surtout d'ailleurs chez les artistes. C'est dans leurs déclarations et dans leurs écrits qu'on le rencontrera le plus souvent. Jean Arp sera un de ceux qui en feront précisément un usage systématique : « Nous ne voulons pas copier la nature, écrit-il. Nous ne voulons pas reproduire, nous voulons produire. Nous voulons produire comme une plante qui produit un fruit et ne pas reproduire. Nous voulons produire directement et non par truchement. Comme il n'y a pas la moindre trace d'abstraction dans cet art, nous le nommons : art concret. » Et il ajoute : « L'art concret est un art élémentaire, natu-

145. Sophie TAEUBER-ARP, *Flottant aligné, oscillant, écartant, soutenant,* 1932. – Jean ARP. 146. *Torse de muse,* 1959; 147. *Concrétion humaine,* 1934.

145

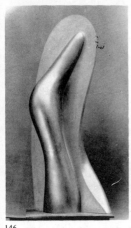

146

147

rel, sain, qui fait pousser dans la tête et le cœur les étoiles de la paix, de l'amour et de la poésie. Où entre l'art concret sort la mélancolie, traînant ses valises grises remplies de soucis noirs. »

Ces quelques lignes, si elles illustrent nettement les raisons qui incitent Arp à préférer le terme d'art concret, montrent en même temps la personnalité à la fois rêveuse et enthousiaste de cet ancien Dada qui est sculpteur, peintre et aussi poète.

L'attitude d'Arp dans l'art est beaucoup trop libre pour que le terme abstrait ne soit pas restrictif à son égard. A ses débuts, en tout cas, à l'époque héroïque de Dada, il lui est arrivé de concevoir des œuvres totalement abstraites. Il a également été abstrait en travaillant à la décoration de la bras-

125 serie *L'Aubette,* à Strasbourg, dont il avait été chargé
122 en 1928, en même temps que sa femme Sophie
123 Taeuber-Arp et son ami Théo Van Doesburg. Ces
124 décorations qui n'existent plus constituaient un des
plus grands ensembles de peinture murale réalisés
145 dans l'esprit des années trente. *Sophie Taeuber-Arp*
(1889-1943), peut-être parce qu'elle avait commencé
sa carrière comme professeur à l'École des Arts
et Métiers de Zurich, arrive sans effort à l'abstraction dès 1915, abstraction à laquelle elle restera
fanatiquement attachée jusqu'à la fin de sa vie,
exerçant à cet égard une influence sensible sur
Jean Arp. Car si celui-ci possède une cohérence
plastique et une originalité qui font de lui un chef
de file, sa démarche du point de vue de l'abstraction
est toute en fluctuations. Retenu par le surréalisme,
vers 1930, Arp est un sculpteur figuratif — figuratif,
il est vrai, avec beaucoup de licence, mais ancré
dans la réalité. Ce n'est qu'après 1930, lorsqu'il
entreprend la série de ses sculptures appelées *Con-
crétions* qu'il devient, à sa façon, abstrait. Et l'on
comprend qu'il refuse l'étiquette d'abstrait et qu'il
veuille être considéré comme un sculpteur concret.
146 Les formes qu'Arp sculpte cherchent à rivaliser
147 avec la nature, à se confondre avec ces formes
anonymes et parfaitement pures, comme certains
galets roulés par l'eau, comme certains nuages
gonflés par le vent. Malgré sa position ambiguë
dans l'art abstrait, Arp influencera au lendemain de
la deuxième guerre des sculpteurs purement
abstraits, la sensualité avec laquelle il traite la
matière étant la meilleure arme contre le dessèchement géométrique dans la lutte constante que la
sculpture abstraite doit soutenir face aux objets
pour maintenir sa qualité d'œuvre d'art.

D'une manière encore plus ambiguë, *Kurt
Schwitters* (1887-1948) fait partie de l'histoire de la
sculpture abstraite. Cet étrange artiste allemand,

148. Kurt SCHWITTERS. Le *Merzbau* à l'intérieur de sa maison à Hanovre, 1918-38 (détruit pendant la guerre).

Dada pur sang, qui, à maintes reprises, frôle l'abstraction totale se trouve bien sur la pente « concrète » de l'art abstrait. Ses œuvres peintes, sculptées, écrites, il les appelle « Merz », ce qui est la seconde syllabe du mot Kommerz, apparu une fois, ainsi tronqué par hasard, au milieu des formes abstraites d'un de ses collages. Toute la retentissante activité de Schwitters dans les milieux de l'avant-garde européenne à partir de 1920 portera ce nom de Merz.

Parmi ses nombreuses entreprises, il commencera vers 1925 à ériger dans sa propre maison de Hanovre une construction-Merz (Merzbau), une sorte de sculpture aux formes tentaculaires qui envahissent l'espace à partir d'une colonne, et quand elles auront rempli la pièce tout entière, Schwitters percera le plafond pour leur faire de la place à l'étage au-dessus. Ainsi la construction-Merz

148

149

montera-t-elle sur plusieurs étages. Malheureusement la maison qui l'abritait fut détruite par un bombardement pendant la guerre. Ayant quitté l'Allemagne en 1935, Schwitters entreprendra une seconde construction-Merz d'abord en Norvège, et une troisième ensuite en Angleterre, mais c'est la première surtout qui fut de loin la plus impor-

149. Max BILL, *Ruban sans fin,* 1936-61. — 150. Henri MOORE, *Composition de quatre pièces,* 1934. — 151. Barbara HEPWORTH, *Deux segments et sphère,* 1935-36.

150

151

tante. Cette œuvre bien singulière, à en juger d'après les documents qui en restent, annonce la liberté, le refus d'un ordre préétabli dans l'organisation des volumes qui caractérisent la sculpture abstraite après 1945.

Un représentant typique de l'abstraction des années trente est le sculpteur suisse *Max Bill* (né en 1908), à la fois peintre, architecte, écrivain. La forme absolue pour lui n'est plus une quête, elle est certitude. Les mathématiques contiennent pour Max Bill les lois suprêmes et apaisent son tourment créateur. Souvent ses sculptures sont le développement spatial de formules mathématiques et cette rigueur sans faille et sans mystère provoque parfois l'admiration des fanatiques du nombre. 149

Dans l'œuvre de *Barbara Hepworth* (née en 1903), au contraire, l'abstraction garde plus d'humanité, malgré l'admiration que cette artiste anglaise a eu pour les conceptions plastiques de Mondrian, dont elle a su assimiler et transposer l'influence. Par un jeu de formes convexes et concaves, en opposant le vide au plein, Barbara Hepworth parvient à animer l'espace — ce qui est l'ambition de tout sculpteur, et la réputation dont elle jouit n'est pas étonnante. 151

Un autre sculpteur anglais, celui qui a la plus 150

grande renommée internationale, *Henri Moore* (né
en 1898) a été, lui aussi, abstrait à un moment de
son évolution, autour de 1930, quand il faisait partie
du groupe « Abstraction-Création ».

On ne saurait comprendre le développement
ultérieur de la sculpture abstraite, l'importance
primordiale qu'elle commence à accorder à la
matière, si on omettait de mentionner les recherches
d'un sculpteur comme *Julio Gonzalès* (1876-1942).

Cet Espagnol qui se fixe à Paris en 1908 ne
sera jamais abstrait. « Sans une étude constante de
la nature, je ne peux rien créer », disait-il. Mais
l'atavisme qu'il porte en lui décide, je crois, du sort
de sa sculpture. Gonzalès est fils d'orfèvre et le
travail direct du métal le passionne. Ainsi, vers
1930, quand il se consacre exclusivement à la sculpture, d'instinct, sans idées révolutionnaires, il
emploie de la tôle qu'il découpe et repousse en lui
donnant la forme voulue. Sa conception plastique
est encore nettement réaliste, mais la force expressive de la matière la rehausse, attenue ses aspects
traditionnels. Se laissant toujours guider par cet
attrait que la matière exerce sur lui, Gonzalès en
vient, vers 1932, à employer le fer forgé – et le fer
dicte le dépouillement de son style qui fera école
parmi les sculpteurs abstraits de la génération suivante. Au début, la démarche abstraite de Tatline,
de Gabo et de Pevsner allait de pair, nous l'avons
vu, avec le renouvellement des matériaux employés.
Mais un pas décisif dans ce sens devait être fait
152   par un sculpteur figuratif comme Gonzalès.

153   On retrouve une position analogue par rapport
à la sculpture abstraite chez l'Américain *Alexandre
Calder* (né en 1898). Calder lui aussi construit ses
sculptures à partir des possibilités qu'offre le métal
et il aboutit aux fameux mobiles, réalisant ainsi ce qui
est une ambition constante de la sculpture abstraite :

la forme en mouvement. Dans un premier temps, en 1929, il obtient le mouvement, non sans une pointe d'humour, en joignant à la sculpture un petit moteur électrique. (Exemple qu'on ne manquera pas de suivre après 1945.) Mais les véritables mobiles qui reflètent toute l'originalité de ce sculpteur singulier, n'apparaissent que lorsqu'il parvient, un peu plus tard, à incorporer le mouvement à la sculpture même, en suspendant le mobile et en calculant la suspension de chacune de ses parties. (Ce n'est pas par hasard qu'avant de se consacrer à l'art, Calder a fait des études d'ingénieur.) Parmi les tout premiers mobiles, conçus de cette manière, certains sont abstraits.

152. Julio GONZALÈS, *Femme se coiffant*, 1930-33.

153. Calder dans son atelier.

3

L'art abstrait
après 1945

Nous avons essayé dans les pages qui précèdent d'évoquer de façon systématique l'évolution de l'art abstrait jusqu'en 1940. Mais pour rendre compte de son développement ultérieur, il faut renoncer à tout effort de systématisation. L'art abstrait tel qu'il s'affirme dans cet après-guerre donne lieu à des transformations si profondes dans la conception et dans l'exécution de l'œuvre d'art, qu'on a souvent l'impression d'assister à un grand tournant où la forme a perdu de vue le passé et s'aventure, à tâtons, vers un avenir encore trouble. Le seul fait qui se présente comme indiscutable, c'est que l'art abstrait est devenu un phénomène mondial, alors qu'il était, avant la guerre, un phénomène européen. Nous sommes donc engagés, en tant que contemporains, dans un événement d'une telle étendue que la partialité seule peut nous aider à nous y retrouver. Mais gardons-nous de bâtir un système avec les données partiales, et partielles, dont nous disposons. Un concours de circonstances, un hasard d'affinités peuvent faire d'un critique, d'un témoin contemporain le commentateur lucide des recherches d'un artiste, voire de plusieurs artistes, mais jamais de la totalité des recherches nouvelles. Car c'est le temps d'abord qui doit effectuer son tri pour que le recul ensuite permette d'accéder à l'objectivité qui doit compléter le choix subjectif. Dans les pages qui suivent, nous nous limiterons, par conséquent, à indiquer quelques fils conducteurs dans l'art abstrait de cet après-guerre, à placer ici et là quelques balises, à fixer, quand cela sera possible, quelques-unes de ses facettes.

LA SCULPTURE

La sculpture, comme nous venons de le voir, évolue tout au long du siècle plus lentement que la peinture. C'est peut-être la raison pour laquelle l'après-guerre ne marque pas une rupture aussi nette dans la sculpture abstraite que dans la peinture. Les formes abstraites sculptées font preuve d'une continuité évidente, alors qu'elle est presque imperceptible dans les formes peintes. Celles-ci, d'une façon générale, s'opposent à l'abstraction, telle qu'on la concevait en 1930, alors que la sculpture abstraite, au contraire, en est encore à développer ce qui a été ébauché au cours des mêmes années. Ainsi le travail direct du métal est-il de plus en plus pratiqué. Au fer forgé et à la plaque de métal découpé s'ajoutent l'acier inoxydable, le nickel, le duralumin. Les sculpteurs abstraits (bien moins nombreux que les peintres), cherchent à tirer parti du matériau qu'ils emploient. Mais la technique est loin d'avoir dans la sculpture ce caractère obsessionnel qu'elle a pris dans la peinture.

Cette situation de la sculpture abstraite de l'après-guerre semble trouver sa meilleure illustration dans l'œuvre de *Lardera* (né en 1911, travaille à Paris). L'intersection à angle droit des plaques métalliques qu'il affectionne, la disparition totale du volume, la surface plane qui a pour contrepoint le vide, tous ces éléments, leurs ambitions et leurs limites, indiquent la permanence, après 1945, de l'esthétique des années trente. C'est le cas aussi de certains sculpteurs (*Gilioli,* né en 1911) retenus par la géométrie pure du volume. L'ordre et la rigueur

154

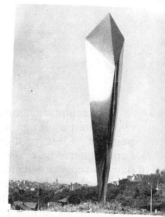

155

156

154. Berto LARDERA, *Archange n° 1,* 1953. — 155. Émile GILIOLI, *Esprit, eau et sang,* 1953. — 156. Eduardo CHILLIDA, *Tremblement du fer n° 1,* 1956. — 157. Hans KOCK, *sculpture,* 1962-63. — 158. Robert JACOBSEN, *Marama,* 1960.

président également aux recherches de certains sculpteurs plus jeunes, comme l'Allemand *Hans Kock* (né en 1920) et l'Espagnol *Chillida* (né en 1924). L'un et l'autre font un pas en avant en ce sens qu'à travers la rigidité géométrique, ils essaient d'exprimer la puissance de la masse. A l'opposé de leur austérité on trouve le Danois *Jacobsen* (né en

157
156

157

158

1912) qui dans ses constructions de fer tend à faire
prévaloir les droits de l'imagination. Autodidacte,
il a un sens très sûr de la forme dans l'espace qui lui
permet de déployer son invention plastique sans
158   contrainte. Ces qualités de Jacobsen apparaissent
plus clairement si on compare ses œuvres à celles
de certains sculpteurs abstraits dont le représentant
159   typique serait l'Allemand *Uhlmann* (né en 1900)
chez qui l'emploi du métal glace la forme. Ingénieur
en même temps que sculpteur, on dirait qu'il se
complaît à créer des formes qui possèdent toute la
dureté et la froideur de l'acier. Dureté et froideur
que d'autres sculpteurs, plus jeunes, comme l'Italien
161   *Nino Franchina* (né en 1912), et surtout l'Allemande
162   *Brigitte Meier-Denninghoff* (née en 1923), se pro-
posent d'adoucir en assouplissant leurs compositions. De son côté l'Américain *Rickey* (né en 1907)
part de la solidité de l'acier pour concevoir des
formes effilées à l'extrême, semblables à des tiges
métalliques ou à de très longues aiguilles, mou-
vantes de surcroît, qui s'enfoncent dans l'espace
163   sans l'ouvrir. Dans les sculptures de Rickey, le mouvement que la forme effectue, sert à l'accomplir,
souligne son contenu plastique, à la différence des
sculptures cinétiques, en vogue depuis une dizaine
d'années qui, à notre avis, font échouer le vieux
rêve de la sculpture abstraite de « s'approprier » le
mouvement, car elles ne recourent qu'au mouvement mécanique dénué de toute signification en
tant que forme.

   La dimension temps (dont l'expression naturelle est le mouvement) se trouve bien mieux réa-
160   lisée dans les reliefs de *Kemeny* (1907-1965). La
répétition presque obsessionnelle du même élément
qui est à l'origine de chacune de ses œuvres, n'est
autre qu'une transposition du temps dans l'espace
matériel de la sculpture. Démarche, très intéres-
sante en soi, qui ne va pas sans une certaine mono-

tonie dans l'œuvre de Kemeny, mais qui indique
dans la sculpture contemporaine une direction nou-
·velle. Cette même démarche caractérise aussi les
recherches de *Stahly* (né en 1911), et elle apparaît,   167
quoique filtrée, profondément assimilée dans l'œuvre
de certains artistes aussi différents entre eux que
Hajdu (né en 1907), *Penalba* (née en 1918) ou *Étienne*   164
Martin (né en 1913). Ces artistes que l'on ne peut   165
absolument pas qualifier d'abstraits, abordent la réa-   166
lité à partir d'une forme première qui est abstraite
et qui, en se multipliant, va vers une image concrète
sans jamais cependant s'identifier avec elle. Que
ce soit l'attrait de l'équilibre instable qui distingue
les bronzes de Penalba ou la tension repliée sur elle-
même qui anime les reliefs en métal repoussé de
Hajdu, ou encore cette forme-mère, habitable,
habitée, commencement et fin de toute forme, qui
hante Étienne Martin, nous nous trouvons devant
la limite où abstraction et figuration deviennent
réversibles. Or, cet état de réversibilité est en soi
non seulement une preuve du dépassement de
l'esthétique abstraite des années trente, mais aussi
un indice que malgré son développement bien plus
lent et plus limité, la sculpture avance dans la même
direction que la peinture d'après-guerre.

LA PEINTURE

En peinture, grâce à l'étendue des recherches,
grâce au nombre des peintres, les transformations
subies par la forme abstraite depuis vingt ans sont
telles, que le présent semble résolument rompre
avec le passé. Seules les œuvres d'un petit groupe
assurent la continuité. Il s'agit en premier lieu de
Vasarely (né en 1908). En Hongrie où il est né et où   168

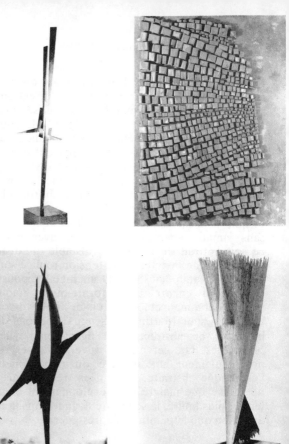

159. Hans UHLMANN, *Signe*, 1962. — 160. Zoltan KEMENY, *Mouvement s'arrêtant devant l'infini*, 1954. — 161. Nino FRANCHINA, *Araldica*, 1955. — 162. Brigitte MEIER-DENNINGHOFF, *Pharaon*, 1961. — 163. George RICKEY, *Six lignes*, 1964. — 164. PENALBA, *Relief chinois*, 1959.

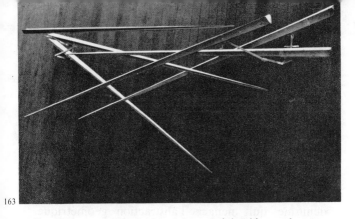

il a fait ses études, Vasarely a été initié au plus pur
esprit du Bauhaus par son compatriote Moholy-
Nagy et c'est à cet esprit qu'il est toujours resté fidèle. Plus royaliste que le roi, ce peintre réduit la
forme abstraite à un phénomène strictement
optique. Est-ce par réaction (parce que, à son arrivée
à Paris en 1930, il a été obligé de travailler pour la
décoration et la publicité), qu'il redoute la libre
expression en peinture et adopte avec tant d'intransigeance la forme géométrique? Compositions tracées au tire-ligne et au compas, couleurs posées en

aplats, accords chromatiques scientifiquement étudiés — cette conception de la peinture que chaque œuvre de Vasarely obstinément illustre, fut assez répandue, surtout en France, immédiatement après la guerre. La peinture abstraite était alors en pleine expansion et il était naturel qu'elle se rattachât à l'esthétique des années trente. Cependant la création du Salon des Réalités Nouvelles, consacré exclusivement à l'art abstrait, ne tarda pas à montrer l'académisme qui menace l'abstraction géométrique. Soutenue par la revue *Art d'aujourd'hui*, elle eut

170   pour principal défenseur *Jean Dewasne* (né en 1921) qui préféra le ripolin à la peinture à l'huile, comme une matière moins subjective, plus conforme donc à l'abstraction géométrique. A l'inverse

171   de Dewasne, *Deyrolle* (né en 1911) évolua en rendant sa technique de plus en plus personnelle et sa composition de plus en plus murale.

Cette tendance extrême de l'abstraction s'est progressivement estompée à partir de 1950. Seul Vasarely, au contraire, a durci son œuvre jusqu'au dogmatisme. En demeurant ainsi rigoureusement lié à l'esthétique des années trente, celui-ci devait être reconnu en 1965 comme le précurseur de certaines recherches visuelles de groupe et aussi de l'op-art (art optique) dont la mode est passée de New York en Europe au cours des années 1964-1965 — tentatives les unes et les autres qui nous semblent trop redevables au passé, à un passé révolu et résolu, pour constituer un pas vers l'avenir. Le même passé est perceptible dans l'œuvre de *Victor Pasmore* (né en 1908), sous le dépouillement de la forme et de la couleur, sous la pureté d'expression dont cet Anglais est épris peut-être à l'extrême.

Là où le passé cesse d'exister, où il n'est plus que le point de départ d'un accomplissement nou-

169   veau, c'est bien dans la peinture de *Serge Poliakoff* (né en 1906). Poliakoff, grâce à ses dons exception-

165

166

165. Étienne MARTIN, *Demeure n° 3*, 1960.
166. Étienne HAJDU, *La Danse*, 1957.
167. François STAHLY, *Le Grand Arbre*, 1963.

167

nels de coloriste, parvient à dépasser la froideur de
l'abstraction géométrique. C'est contre l'ordre préétabli des formes que Poliakoff réagit et pour mener
à bien son entreprise il s'appuie entièrement sur la
couleur. Dans ses compositions aucune ligne ne
raidit les formes, en les cernant; seuls les va-et-vient
du pinceau, au gré de la main, les délimitent pendant que le même geste étale la couleur et comme
c'est cet étalement frontal (et mural) que le peintre
veut accuser, il se sert souvent de tons voisins, un
orangé à côté d'un rouge, un vert à côté d'un bleu.
Chaque nuance devient ainsi une étendue que le
regard se plaît à parcourir.

Amené à réfléchir sur les qualités spécifiques
de la couleur grâce à ses contacts avec Robert
Delaunay, retenu par la construction chromatique
de Freundlich, Poliakoff réalise ses premiers tableaux abstraits en 1939. Depuis, son activité est
devenue une part inséparable de l'évolution de la
peinture abstraite, là où celle-ci élargit le pouvoir
d'action de la couleur.

C'est sous le même angle qu'il faut, je crois,
172 envisager l'œuvre de l'Américain *Mark Rothko* (né
en 1903) dont l'attitude à l'égard de la couleur est
si personnelle. Deux éléments contraires sont à
l'origine de sa peinture : Rothko aime la lumière
des couleurs de Matisse et l'ombre qui fascine les
surréalistes. A partir de là ce peintre contemplatif
trouve la forme et le contenu de sa vision abstraite.
La peinture de Matisse lui apprend comment la
couleur peut devenir vibration lumineuse et le surréalisme lui révèle que le réel n'est qu'opacité. Sa
peinture à lui sera dès lors l'expression de cette
opacité sans fin ni commencement, devenue pure
vibration chromatique, inscrite sur la surface entière
de la toile, légère, presque immatérielle et cependant
impénétrable.

En 1945-1946, sous l'influence surréaliste qui était alors très forte à New York (nous le verrons plus loin), Rothko peint des aquarelles où l'on voit surgir des formes tracées à peine du bout du pinceau et aussitôt dédoublées, comme aspirées par la transparence qui les entoure. Formes séparées d'elles-mêmes, elles semblent attester le prolongement d'une chose dans l'autre qui n'est ni son ombre ni son reflet, mais son ouverture, le décalage qui l'empêche d'être une. On dirait que la conscience de l'ambiguïté inhérente à l'être humain et aux choses pousse Rothko à ne voir d'unité possible que dans la disparition du réel, éprouvée comme une sorte d'engloutissement. Dès lors aucune indication de forme n'apparaît plus dans sa peinture et à partir de 1948 il donne à ses compositions l'aspect d'une masse vaporeuse de couleurs.

A l'opposé de Rothko, pour certains peintres (*Riopelle,* né en 1923, *Germain,* né en 1919), la couleur est un élément de structure sur lequel repose le tableau entier. [173] [174]

La couleur également prédomine dans cette tendance abstraite à laquelle on a donné, vers 1954, le nom de *tachisme.* Comme ce mot l'indique, la forme est ici tache, c'est-à-dire une manière d'être de la couleur que le hasard suffit à provoquer. La volonté de l'artiste peut au besoin intervenir pour compléter cette forme spontanément surgie — l'exemple le plus clair de cette attitude nous est fourni par la peinture de l'Américain *Sam Francis* (né en 1923). En outre, les vertus propres de la couleur, ses accords et sa lumière, les jeux complexes de ses nuances sont entièrement respectés dans le tachisme. Ce que la tache conteste par sa présence sur la toile, c'est la forme en tant qu'élément pictural existant en dehors de l'instant où il se réalise sur la toile. L'accent est ainsi mis sur un facteur qui n'avait jamais compté pour la peinture européenne : [175]

168

le temps. Le temps strict de l'exécution d'une forme considéré comme une valeur esthétique.

Aux États-Unis cela a suscité *l'action painting* ou peinture de geste. Mais avant de parler de cet état exaspéré de la peinture abstraite, il convient de retracer la progressive apparition du facteur « temps » dans la peinture européenne.

LA PEINTURE ABSTRAITE ET LA VALEUR « TEMPS »

176   C'est dans l'œuvre de *Nicolas de Staël* (1914-1955) et précisément dans les tableaux qu'il exécuta en 1946-1947, que l'on peut voir le mieux comment le temps d'exécution intervient dans la nature même de la forme. Les peintures de Staël pendant cette période sont abstraites, même si leurs titres évoquent, parfois, la réalité. C'est parce qu'elles sont abstraites, que Staël, de toutes ses forces et avec la passion qui le distingue, éprouve le besoin de rendre les formes plus éloquentes et, en superposant, dans sa fougue, les couleurs, il s'aperçoit que

168. Victor VASARELY, *Hommage à Malévitch*, 1949-54. — 169. Serge PO-LIAKOFF, *Composition*, 1951-54.

169

le passage du pinceau laisse une trace visible dans l'épaisse couche de la matière. Ainsi, suivant la manière dont il pose la couleur, il peut accélérer ou ralentir une forme. Cette tension intérieure qu'il confère à sa composition n'est autre que le temps devenu espace sur la surface de la toile. Le problème de Staël est dès lors la recherche d'un accord possible entre différentes tensions (et on pourrait dire vitesses): les formes lentes il les réserve aux parties de la composition conçues en retrait, recouvertes d'une couleur lisse qui les rend parfois presque immobiles en comparaison des autres formes. Celles-ci, souvent effilées, traversent le tableau en tous sens, chacune obéissant au rythme que la main du peintre, que le pinceau a imprimé dans la matière même de la couleur.

Pendant toute l'année 1947 Staël concentrera ses efforts sur cet élément nouveau qui est entré dans sa peinture. Et c'est à partir de là qu'il élaborera son propre style. A la place du pinceau il préférera se servir du couteau qui accélère encore le geste de peindre et même quand il fera, plus tard, des tableaux figuratifs, ceux-ci, dans chacune de leurs parties, renfermeront le « temps ».

177 On a souvent rattaché les recherches de Staël à celles, apparemment assez proches de *Lanskoy* (né en 1902). Après une assez longue carrière de peintre figuratif, Lanskoy conçoit des compositions abstraites pleines de fougue — fougue qui se manifeste, d'une part, dans la vivacité des couleurs et, de l'autre, dans la précipitation des formes. Mais si la composition chez Lanskoy prend l'allure d'une ruée, ce n'est qu'un reflet de son tempérament et nullement un recours conscient à la valeur « temps ».

L'expression la plus pure du « temps », nous l'avons dans l'œuvre de deux artistes nettement abstraits, *Hartung* (né en 1904) et *Soulages* (né en 1919) qui semblent aborder le même problème de deux côtés opposés. A l'origine chez les deux peintres, il y a un refus spontané de la tradition qui les éloigne de la vision fondamentale de l'art occidental et les rapproche, à leur insu, de la peinture extrême-orientale. Chez d'autres artistes, comme Tobey ou Bissier (nous le verrons), la connaissance de la peinture de la Chine et du Japon anciens provoque une véritable conversion de la forme, dans la mesure précisément où la valeur « temps », inconnue de l'artiste occidental, est pour l'artiste extrême-oriental, le ressort même du geste de peindre. Ce qui n'est le cas ni de Hartung ni de Soulages. L'un et l'autre arrivent, par intuition, à l'expression plastique du temps et c'est après seulement qu'ils découvrent leurs affinités avec l'Extrême-Orient.

Chez Hartung, cette manière d'être est déterminée peut-être par une précoce culture musicale. La musique, on le sait, est durée. Modelée par la musique, la sensibilité du futur peintre réagit contre tout ce qui est rigidité dans l'expression plastique. Or, la rigidité domine l'art à l'époque où il grandit et il s'y heurtera aux moments décisifs de sa forma-

170

171

172

170. Jean DEWASNE, *Dessin direct*, 1947.
171. DEYROLLE, *Soco*, 1947.
172. Mark ROTHKO, *n° 14*, 1960.

173

tion. D'où ses refus : une première fois, il refuse
d'aller suivre l'enseignement au Bauhaus, après
avoir entendu une conférence de Kandinsky qu'il
juge trop systématique; une seconde fois, en 1927,
quand il a déjà quitté son Allemagne natale pour
venir s'installer à Paris, il refuse l'esthétique post-
cubiste qui triomphe à l'époque. Ainsi ce peintre
qui ne peut s'insérer dans aucun courant, se replie
sur lui-même et finit par découvrir l'un après l'autre
les éléments de son propre style à partir de certains
étonnants lavis à l'encre de Chine qu'il avait réalisés
178 en 1922. Dans ces œuvres d'extrême jeunesse, en
cherchant tout simplement une forme souple, Hartung avait plongé d'instinct dans la peinture
abstraite. De là sortira progressivement l'expression
graphique qui fonde son œuvre. Comme pour accuser la présence du trait, Hartung le conçoit noir,
de plus en plus serré, de plus en plus tendu et syn-
179 copé et il aboutit à cette ligne-forme que l'on voit
s'élancer, qui passe, qui est temps inscrit dans le
tableau.

Si la peinture de Hartung exprime la durée,
c'est le plein instant que Soulages tend à fixer dans

174

173. Jacques GERMAIN, *Huile sur papier,* 1963. – 174. Jean-Paul
RIOPELLE, *Ventoux,* 1955. – 175. Sam FRANCIS, *Bleu et noir,* 1954.

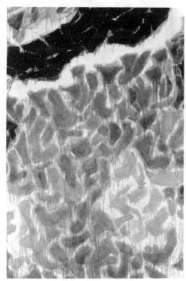

175

176

177

176. Nicolas DE STAËL, *Brisures*, 1947. — 177. André LANSKOY, *Hommage à Georges de La Tour*, 1946.

Hans HARTUNG. 178. *Encre*, 1922; 179. *Peinture*, 1957. — Pierre SOU-LAGES. 180. *Peinture*, 1963; 181. *Peinture*, 1947.

178   179

chacun de ses tableaux. C'est le même élément
fuyant que son geste vise aussi, mais il le montre
comme saisi dans le plus bref laps de temps qui le
révèle et que nous appelons présent : infime fraction
de temps, dont Soulages affirme la plénitude. Quand
on regarde, en effet, sa peinture, on en subit
l'action qui est double et opposée : sa forme est rapide, toute tendue, mais c'est comme si sa tension
et sa vitesse n'étaient qu'intérieures, tant l'ensemble

180   181

du tableau est massif, monolithique. Et cela nullement à cause du noir qui prédomine toujours, mais
à cause de la constitution même de la forme qui
agit sur nous à l'image du temps, à la fois insaisissable dans son mouvement et péremptoire dans
l'instant présent.

¹⁸⁰		Il y a chez Soulages une mise au point de la
¹⁸¹	structure plastique du tableau qui cesse de se réfé-
rer au passé. En 1946, à ses premiers contacts avec
Paris, ce jeune artiste qui a vécu pendant la guerre
près de la terre, s'aperçoit que l'enseignement de
l'École des Beaux-Arts ne lui convient pas et qu'en
même temps, il est indifférent, sinon hostile à la
peinture de Picasso. Double isolement donc, qui
le soustrait à toute influence et l'oblige à prendre
conscience de lui-même. Ce qui aura pour effet
d'accélérer son évolution.

Violemment antiromantique, Soulages, dès ses
débuts, se refuse à toute forme d'effusion. Sa couleur sera le noir et son moyen d'expression favori
la ligne. Mais comme la souplesse de la ligne est à
ses yeux épanchement, donc faiblesse, il recourt au
couteau et à la spatule qui remplacent le pinceau.
Or, la couleur écrasée par le large outil n'est plus
ligne, mais d'emblée forme et, qui plus est, à l'intérieur de cette forme, le même geste qui étale la couleur, peut l'arracher. Lumière et ombre naissent
ainsi simultanément, antinomiques, mais l'une et
l'autre inséparables de la totalité de la forme qui se
détache comme une masse compacte sur le fond
toujours clair du tableau. D'où le dynamisme particulier de la peinture de Soulages, beaucoup plus
complexe que celui de l'action painting américaine.

Chez ces artistes dont nous venons de parler
la touche a disparu, absorbée par le geste du peintre
qui devient sur la toile l'expression du temps. Mais
en dehors de cela la matière de la peinture demeure

traditionnelle. Chez le pionnier de l'action painting, l'Américain Pollock au contraire, c'est la matière picturale elle-même qui est mise en question – et rejetée.

L'ACTION PAINTING

L'entreprise de *Jackson Pollock* (1912-1956) a été un des événements esthétiques les plus retentissants de l'après-guerre. Autour de son nom il existe une véritable légende, favorisée sans doute par sa mort accidentelle, à l'âge de quarante-quatre ans, alors que ses recherches étaient en plein essor, mais provoquée surtout par le fait que, grâce à lui, les États-Unis ont enfin affirmé leur indépendance esthétique après avoir été tributaires depuis toujours de l'art européen. Les années de guerre, en effet, qui marquent un temps d'arrêt dans la vie artistique européenne, ont été particulièrement favorables au développement des artistes américains. New York était alors le seul centre artistique vivant et, de surcroît, c'est aux États-Unis que s'étaient réfugiés plusieurs peintres européens de premier plan dont la présence devait jouer un rôle décisif dans la prise de conscience des jeunes peintres américains qui allaient bientôt aboutir, Pollock en tête, à une vision neuve et personnelle de l'art.

Un moment déterminé de l'évolution psychologique américaine et un lieu précis : la guerre, New York sont à l'origine du cas Pollock. Foncièrement expressionniste, comme la plupart des artistes américains, Pollock commence par subir l'influence de Picasso. Mais s'il y a véhémence chez Picasso, il n'y a jamais démesure – la démesure que ce jeune Américain exalté admire chez les peintres

mexicains au point d'en être quelque temps assez
lourdement marqué. La vie que Pollock mène à
cette époque est assez difficile et c'est en 1942 seulement qu'il peut enfin consacrer tout son temps à
la peinture. Sa rage de peindre redouble, mais dans
le climat new-yorkais elle prend soudain un air
désuet. Il peint comme peignaient les Américains
en 1938 alors que New York a profondément
changé depuis le début de la guerre. La présence
des artistes étrangers a polarisé la vie artistique :
d'un côté, l'abstraction géométrique rendue actuelle
depuis l'arrivée de Mondrian et qui atteindra son
point culminant en 1944 lorsque le musée d'Art
moderne organise une grande exposition de ce pionnier de l'art abstrait, et de l'autre côté, le surréalisme, vivifié par la présence de peintres comme
Max Ernst, Masson, Matta et du poète André Breton. Et si le surréalisme l'emporte, c'est dans la
mesure où l'abstraction géométrique inspire aux
peintres quelques doutes à l'égard de cet expressionnisme qui est le fond du tempérament artistique
américain. La rigueur de Mondrian provoque chez
les Américains un certain sentiment d'infériorité
dont le surréalisme, en revanche, les aide à se libérer
en leur permettant de réintégrer leur émotivité dans
la peinture par le truchement du subconscient et des
impulsions instinctives. Tel est en quelques mots le
contexte dans lequel apparaît Pollock. Son opposition
à l'abstraction géométrique est des plus violentes —
et elle rend peut-être son travail encore plus fié-
vreux. Le ferment que l'influence de Picasso a dé-
posé au fond de son œuvre devient rapidement un
paroxysme de l'expression qui, cherchant une issue,
s'aligne sur l'automatisme surréaliste, s'exalte à la
vue du graphisme de Tobey. C'est alors que la peinture en soi, qui comporte par tradition des couleurs
à l'huile, des pinceaux et une toile placée sur un
chevalet, apparaît à Pollock comme une insuppor-

table contrainte, d'autant plus qu'il a vu dans l'écriture automatique l'importance du geste immédiat. Ainsi le sentiment d'insatisfaction que Pollock éprouve à l'égard de la technique de la peinture, si lente par rapport à sa rage de peindre, le conduit, en 1947, au *dripping :* la toile est posée à plat, à même le sol; quelques trous pratiqués sur le fond d'une boîte de couleurs industrielles (duco, vernis d'aluminium) permettent au peintre de réaliser son tableau en se déplaçant et en laissant la couleur tomber sur la toile. Le vœu de Pollock est exaucé : il est enfin, selon ses propres mots « littéralement dans la peinture ». Il peut peindre à perdre haleine. Peinture et instant ne font qu'un.

182

Peu importe que Max Ernst ait été le premier à se servir du dripping. Peu importe que Miró ou Masson, bien des années avant, aient introduit l'écriture automatique dans la peinture ou que tous les surréalistes aient connu et vanté l'effet stimulant du hasard au cours de l'acte créateur − le geste de Pollock n'en est pas moins significatif. S'il se rattache au surréalisme, il s'en détache aussi. Pour les surréalistes, le subconscient est intimité, pour Pollock, il est, en quelque sorte, domaine public. Alors qu'ils en explorent les méandres les plus secrets, les plus personnels, Pollock ne voit dans le subconscient que son aspect d'énergie vitale à l'état brut. Il y a, en effet, dans la conception du dripping un dépassement net de l'individuel et, par contrecoup, l'exaltation de ce dépassement, qui pousse le peintre à s'attaquer à des toiles de plus en plus grandes, comme si la dimension devait souligner encore plus la disparition de ce que Pollock rejette : toutes les finesses et les nuances de la peinture traditionnelle. A la place, il a intronisé la dureté métallique des couleurs industrielles, il a fait basculer leur « matière » dans le « temps » qui l'a happée et transformée en énergie.

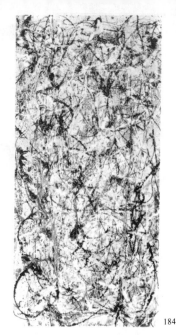

184

183

Jackson POLLOCK. 182. L'artiste dans son atelier; 183. *Cathédrale*, 1947; 184. *Dessin n° 132*, 1951.

Ainsi pendant cinq ans de sa vie, de 1947 à 1952, Pollock fera-t-il de la peinture abstraite, à sa façon, comme une lutte corps à corps avec la toile, avec la couleur, avec la forme. Ensuite il esquissera un tournant, ayant sans doute compris que de faire table rase n'est pas le dernier mot d'un peintre; à partir de 1953 il alternera le dripping avec la tech-

Franz KLINE. 185. *Noir et blanc*, 1951; 186. *Etude pour Corinthien*, 1957.

nique traditionnelle; quelques motifs réalistes appa-
raîtront timidement dans ses œuvres, mais la mort
mettra fin à ses recherches.

Aux États-Unis cependant, la découverte de
Pollock fera école de même que, plus tard, en
Europe. La peinture du geste ou « action painting »,
comme le critique Harold Rosenberg l'appellera
dans un article paru dans la revue *Art News* en décembre 1952, sera considérée par excellence comme
l'apport américain à l'art contemporain et la plupart des peintres américains, figuratifs ou abstraits,
seront influencés par elle. Parmi les abstraits *Franz
Kline* (1910-1962) s'est limité à une expression gestuelle austère, réalisée presque exclusivement en
noir et blanc. Certains de ses collages qui sont
parmi ses premières œuvres abstraites, trahissent les
origines expressionnistes de cette peinture, souvent
rapprochée de celle de Soulages, dont elle diffère
précisément à cause de ses origines. Le geste-
forme de Soulages pourrait être qualifié de classique,
en ce sens que, tout en étant libre, il ne déborde
jamais : s'il s'amplifie, c'est que l'artiste contrôle
et domine son ampleur. Alors que l'inverse se produit chez Kline. L'élan de son geste cède à la tentation expressionniste − et romantique − qui pousse

la forme à échapper à tout contrôle. D'où l'emphase et comme celle-ci est accompagnée par cette rage de peindre qui est propre à l'action painting, il arrive à Kline de tellement forcer son geste qu'il perd de son intensité initiale. La forme, à bout de souffle s'abat où elle peut. Sa toute-puissante liberté, au lieu d'être mise en valeur (comme le veut l'action painting), devient alors insuffisance expressive. C'est pourquoi dans l'œuvre de Kline on peut préférer aux grandes toiles les petits formats de ses débuts de peintre abstrait où l'on sent une sourde tension.

L'INFORMEL

En France, le revirement qui fait de la technique le ressort de l'image (comme chez Pollock) se manifeste avec une force exceptionnelle dans les peintures que Wols exécute pendant les cinq dernières années de sa vie, entre 1946 et 1951. *Wols* 189 (1913-1951) à cette époque est-il abstrait ou non? La réponse, ou plutôt l'impossibilité de répondre, c'est Sartre qui l'a formulée le mieux lorsqu'il a décrit les formes de Wols comme « des substances innombrables et rigoureusement individuées qui ne symbolisent rien ni personne et semblent appartenir simultanément aux trois règnes de la nature ou peut-être à un quatrième ignoré jusqu'ici ». C'est, en effet, une vie et une œuvre exceptionnelles que celles de cet Allemand, connu sous le pseudonyme de Wols qui, après avoir passé quelques mois au Bauhaus, quitte l'Allemagne en 1933 et vient s'installer à Paris où, subsistant grâce à des travaux de photographie, il mène une ahurissante vie de bohème. Puis, lorsqu'il se trouve interné dans un camp pendant la guerre, il se remet à dessiner et à peindre. Ses dessins, rehaussés à l'aquarelle, tous de petit format, sont au début figuratifs. Mais

peu à peu le monde figuré se disloque, le trait de
Wols devient convulsif, il n'obéit qu'à des pulsations
intérieures. Ce n'est plus l'artiste qui songe à la
forme, mais un homme qui cherche à exprimer ce
qui n'a pas de forme et qui pourtant existe : son
angoisse, sa propre impossibilité de vivre. La
peinture pour Wols tend de plus en plus à devenir
l'expression de ce pathétique de l'existence que
le langage écrit peut plus aisément traduire. Ainsi
en 1946-1947, à la suite des aquarelles, naissent les
grands tableaux peints à l'huile où la couleur s'agglu-
tine, coule, se recroqueville, éclabousse, où la forme
est détruite au fur et à mesure qu'elle apparaît. Ce
sont les antipodes de la peinture telle que Mondrian
l'avait voulue, ancrée dans l'éternité des lois visuelles. Opposés à toutes les œuvres lucidement
conduites à terme, fussent-elles les plus spontanées,
les tableaux de Wols, sont, certes, proches de l'art
psychopathologique dont ils possèdent la troublante
authenticité.

187

   Un tel art, réellement, ne doit rien au passé.
Il est autre. Mais il l'est à cause de sa position
extrême. Il annexe à l'art des valeurs qui en étaient
exclues jusque-là. Cet état de la peinture ne représente cependant pas une liquidation de l'héritage
reçu, mais un bond à côté, en même temps qu'un
renversement des valeurs, en ce sens que, pour la
première fois, la forme est subordonnée à la matière. Il ne s'agit plus de réaliser sur la toile une
forme préalablement conçue, mais de la laisser surgir de la matière.

   Sommes-nous avec cet art qu'on appellera informel à l'aube de la plus grande révolution esthétique qui ait jamais existé (comme certains le
croient), ou au contraire dans une voie sans issue?

   Nous n'avons pas à prendre parti, mais aujour-
d'hui, vingt ans après l'apparition de l'art informel,
nous pouvons constater que les moments les plus

intéressants de cette nouvelle expression sont ses débuts. Dans l'œuvre de Wols, la période informelle coïncide avec les dernières années de son activité, et là l'informel prend l'aspect d'une ouverture. Mais il en est déjà tout autrement pour *Mathieu* (né en 1921). Ce licencié ès lettres qui se met à peindre subitement et qui a le mérite d'avoir été un des premiers, sinon le premier à reconnaître la valeur de l'entreprise de Wols, débute aussitôt après la guerre par des tableaux nettement informels. Une obsession refoulée semble répandre sur la toile des taches de couleur d'une allure visqueuse que des filets de lumière parcourent ici et là et le titre *Andrisme* doit sans doute être interprété dans le même sens. Tant que les tableaux de Mathieu gardent ce caractère, ils nous touchent comme peut nous toucher un journal intime. Après, vers 1950, commence le déploiement calligraphique qui fera connaître Mathieu. Mais l'élégance de son geste n'atteindra jamais à l'émotion qui se dégage de ses premiers tableaux, timides, troubles et troublants : autres. Il aura beau éjecter la couleur directement du tube sur la toile, avec une audace grandissante, il faut croire que la matière, si elle n'est pas soutenue par une charge émotionnelle ou obsessionnelle extrêmement forte, succombe à sa propre monotonie. Seule la peinture, c'est-à-dire la conduite lucide des moyens d'expression permet d'éviter ce risque. Mais une telle conduite est ici exclue d'avance.

Les limites donc de l'informel (ou de l'abstraction calligraphique comme Mathieu l'entend) seraient dictées par la matière elle-même. Ce qui fait ressortir, par contraste, l'essence de la peinture en tant que moyen de diversifier, d'affiner, de dépasser la matière, de transmuer l'inertie de la couleur en accords de tons, ombre, lumière. Ce passage de l'une à l'autre, l'éveil de la conscience de la peinture à partir de la matière, est inscrit dans l'évolu-

188

190   tion d'un autre peintre abstrait, *Jean Atlan* (1913-
1960). Licencié en philosophie, poète, en 1944
Atlan se met soudain à peindre d'étranges tableaux.
Empâtements de couleurs, ratures, frottages — son
imagination est à l'aise dans tout ce que la technique
de la peinture récuse. On le sent pris au jeu par la
fascination qu'exerce la matière picturale sur un
intellectuel habitué à manier des notions abstraites.
A son insu et avant la lettre, Atlan fait de la peinture informelle, la forme dans ses premiers tableaux
venant de la matière qui est l'élément de son exci-
tation. Mais au bout de quelques années, du maniement même de la matière naît chez lui un
besoin de structure. Et avec la structure, la peinture
(au sens traditionnel) reprend le dessus, des problèmes plastiques surgissent auxquels il faut faire
face. Ainsi, dès 1950, assistons-nous à la formation
du style d'Atlan qui cherche à retrouver avec les
moyens de la peinture cette force rude, la joie
presque barbare qu'il avait pressentie, comme à l'é-
tat sauvage, au contact de la matière.

   Si l'évolution d'Atlan montre comment la peinture, tôt ou tard, finit par résorber l'expression
informelle, comment, en somme, la répétition tend
à vider le geste immédiat et incontrôlé de sa substance — et de cela Pollock aussi semble avoir pris
conscience, même si dans le dripping le « temps »
qui entrait à part égale avec la matière avait, à coup
sûr, une action vivifiante sur celle-ci — à l'opposé
de cette méfiance à l'égard de l'informel, nous trou-
191   vons un peintre comme *Jean Fautrier* (1898-1964).
C'est en pleine guerre que Fautrier exécute la série
de ses premiers tableaux informels, *Les Otages*.
Ils seront exposés en 1945 et attireront l'attention
sur ce peintre qui avait jusque-là travaillé dans
l'ombre. Tout à fait insolite à l'époque était, en
effet, l'accent que Fautrier venait de mettre sur la
matière. Ses tableaux, au lieu d'attirer le regard,

187   188

190

187. WOLS, *Manhattan*, 1947. – 188. Georges MATHIEU, *Trudanité*, 1947. – 189. WOLS, *Dessin*, 1944-45. – 190. Jean-Michel ATLAN, *Peinture*, 1947.

191

191. Jean FAUTRIER, *Otage*, 1945.

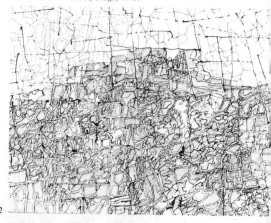

192

192. Jean DUBUFFET, *Paysage avec prise en gelée du ciel*, 1952.

le repoussaient, renfermés dans une sorte de mutisme et de refus — refus de la forme que la masse affalée des empâtements détruit, refus de la couleur que les tons délavés ramènent à la grisaille. Mais l'ambiguïté qui était la force de cette peinture, Fautrier devait la tuer lui-même en faisant d'elle un procédé qu'il a fidèlement et inlassablement répété jusqu'à la fin de sa vie.

Les possibilités de la matière sont également

193

194

195

193. Clifford STILL, *Number 2*, 1949. – 194. Lucio FONTANA travaillant à une de ses surfaces fendues et trouées. – 195. Antonio TAPIÈS, *Brun et gris n° LIX*, 1957.

au centre des recherches plastiques tantôt figura-
192   tives, tantôt abstraites de *Dubuffet* (né en 1901). Plus
que personne Dubuffet a conscience que l'art
informel (ou art autre ou art brut, comme il préfère
l'appeler) doit sans cesse surprendre par sa nouveauté. Sinon il devient aussitôt victime de l'étroi-
tesse de ses limites. Voilà pourquoi cet artiste
remarquablement intelligent et d'une grande dex-
térité manuelle s'ingénie à multiplier les matériaux
employés, à les dissimuler, à les fondre, à créer une
matière ambiguë qui se renouvelle perpétuellement.
Mais le danger qu'il court, c'est que plus il s'acharne
ainsi à éviter la monotonie, plus il tombe dans l'artifice, alors que sa peinture gagne chaque fois qu'elle
peut être spontanée.

Toujours sous le signe de l'ambiguïté, d'autres
193   artistes comme l'Américain *Clifford Still* (né en
1904) nous donnent à voir la forme sous l'apparence
d'une déchirure ou même sous l'aspect d'une déchi-
194   rure réelle, comme l'Italien *Lucio Fontana* (né en
1899) dans les surfaces fendues et trouées de ses
toiles. D'autres encore nous rappellent l'impéné-
195   trabilité de la matière, à l'instar de l'Espagnol *Tapiès*
(né en 1923), fasciné par les vieux murs délabrés au
point de les reconstituer dans ses toiles avec une
fidélité de copiste. Parfois enfin, l'informel (semblable à Dada) fait surgir l'anti-peinture à côté de la
peinture comme pour souligner la vétusté de celle-ci
et la rejeter. Mais partout, que ce soit d'une manière
explicite (comme chez Dubuffet) ou implicite (et
d'autant plus valable, comme chez Wols), l'informel
soustrait la peinture à son halo idéaliste. La matière
prend sa revanche sur l'esprit. C'est le retour aux
choses (esquissé dans le domaine de la philosophie
par la phénoménologie). Et il est évident que dans
ce renversement des valeurs, le problème de l'abstraction ne peut plus se poser. L'exemple le plus

frappant nous est fourni par les œuvres précisément
de Tapiès qui sont d'un réalisme intégral puisqu'elles
se présentent exactement comme la surface d'un
mur, mais ce mur trompe-l'œil, à l'intérieur de son
cadre, en tant qu'image est abstrait. C'est que la
matière est abstraite et concrète, tant que la volonté
n'intervient pas pour lui donner une forme. Et c'est
là qu'on saisit le « degré zéro » en quelque sorte de
l'abstraction où celle-ci se confond avec la figuration. Si son caractère est l'ambiguïté, il est cependant une autre tendance de la peinture contemporaine où, au contraire, la marge de l'abstraction
apparaît à son point culminant comme une ambiva-
lence, c'est-à-dire un élargissement des possibilités
aussi bien de la forme abstraite que de la forme
figurative, l'une et l'autre indissolublement liées
dans l'esprit de l'artiste, confondues pour mutuel-
lement s'enrichir.

LA MARGE DE L'ART ABSTRAIT

Cette marge de l'art abstrait est manifeste dans
les œuvres de nombreux artistes (et quelques-uns
d'entre eux sont parmi les plus importants de cet
après-guerre) qui ne sont pas abstraits à proprement
parler et d'ailleurs ne se considèrent pas comme
tels, mais qui semblent l'être pour la simple raison
qu'ils appréhendent le réel comme une totalité
offerte autant à l'esprit qu'à la perception. La réalité, dirait un de ces peintres, est hors de moi.
Appréhendée par moi, au niveau de l'émotion reçue,
du souvenir et même de l'impression visuelle, elle
devient en moi autre chose. Et c'est cela que je
veux exprimer. Il y a donc dans cette peinture un
lien direct avec la réalité et il n'est pas rare de voir
certains de ces peintres donner à leurs toiles des
titres strictement descriptifs. Par différentes voies

(toutes très éloignées du mimétisme simpliste de
certains artistes informels), ces peintres tentent donc
d'abolir l'écran qui les sépare du monde extérieur
et parce que leur attitude à l'égard des formes et
des couleurs n'aurait pas été possible sans les
conquêtes successives de l'art abstrait, nous les
citerons ici, en marge des expériences abstraites.

Les premières tentatives pour envisager ce
genre d'expression libre ont eu lieu dans les années
trente et il n'est pas étonnant qu'elles soient passées totalement inaperçues en raison même de leur
orientation qui, refusant en bloc la civilisation
occidentale, cherchait un appui dans la pensée de
l'Extrême-Orient. Ce qu'il s'agissait de refuser,
c'était le primat de la logique et de la conscience,
cette image rationnelle et analytique de l'homme
et du réel que l'Antiquité et la Renaissance nous
ont transmise et que l'art au xxᵉ siècle a contestée.
La peinture, la musique, même la littérature ont de
plus en plus fait prévaloir la part de l'être humain
qui échappe au contrôle de la conscience. Les
forces instinctives ont envahi la création artistique.
L'intelligence pure, détrônée, a du même coup
révélé les limites d'une civilisation qui avait fait
d'elle la valeur suprême. C'est dans cet état d'esprit
que des artistes occidentaux se sont tournés pour la
première fois vers l'Extrême-Orient non pas pour
y chercher de simples emprunts stylistiques, comme
ce fut le cas de Van Gogh ou de Gauguin vis-à-vis
de l'estampe japonaise, mais pour trouver un enseignement, une règle de vie. Telle a été l'attitude,
autour de 1930, du peintre allemand Julius Bissier
et du peintre américain Mark Tobey. Le « musée
imaginaire » (dont André Malraux nous a rendus
conscients) á depuis considérablement élargi notre
connaissance des arts de l'Extrême-Orient. De
jeunes peintres européens et américains en ont été
marqués et puisque, grâce à la rapidité des commu-

nications l'art possède aujourd'hui un caractère éminemment international, au Japon ce même courant par contrecoup a remis à flot la tradition, comme l'activité du groupe Gutaï en témoigne. La pureté calligraphique, le signe — notions inconnues dans l'esthétique européenne — tentent de nos jours les peintres, dont certains, à la manière de l'Italien *Capogrossi* (né en 1900) essaient de donner une version occidentale alors que d'autres comme Mathieu se contentent d'imiter la forme orientale. Mais c'est là qu'apparaît l'antinomie entre l'Orient et l'Occident. Dans la vision extrême-orientale la forme n'existe qu'en fonction du contenu, chaque signe étant l'expression profonde d'un rapport entre l'homme et l'univers. C'est ce que Bissier et Tobey ont compris.

196

Julius Bissier (1893-1965) a été initié aux arts et à la pensée de la Chine antique par son ami le sinologue Ernst Grosse et, bien qu'il n'ait jamais été en Extrême-Orient, l'influence des doctrines taoïstes l'a amené à remettre en question sa conception même de la peinture. En 1930, Bissier cesse de peindre des tableaux abstraits selon le goût de l'époque et, pendant dix-sept ans, jusqu'en 1947, il ne fera que des lavis à l'encre de Chine. Retiré, spirituellement exilé dans son pays (l'Allemagne nazie consterne Bissier), il vivra toutes ces années replié sur lui-même, la tension de son angoisse n'ayant d'autre issue que les formes qui viennent se projeter dans ses lavis, dont un des premiers témoins sera le philosophe Heidegger, ami de jeunesse de Bissier. Dans ces austères lavis, l'être et la chose livrent leurs correspondances secrètes. Premier jet et vision achevée coïncident, toute préméditation, toute volonté de « faire » étant abolies.

197

Après 1947, Bissier sera en mesure d'aborder la peinture dans le même état d'esprit, ayant mis au point une technique personnelle (tempera à l'œuf et à l'huile) qui lui permet de laver une couleur déjà mise ou d'en fixer les traces pour qu'elles enrichissent la couleur posée dessus. Cette démarche qui rend la couleur capable de porter la forme sans la délimiter, capable de porter un contenu concret et son vaste écho abstrait, confère un caractère à part aux peintures de Bissier, qu'il appelle « miniatures » à cause de leur format, mais qui pourraient aussi bien s'appeler microcosmes.

La civilisation de l'Extrême-Orient qui, à l'inverse de celle de l'Occident, a su cultiver et affiner l'instinct et qui, de ce fait, aide à dépasser les catégories strictes de la connaissance intellectuelle, exerce une influence profonde sur celui qui est, sans conteste, le peintre américain le plus important d'aujourd'hui, *Marc Tobey* (né en 1890). Dans son cas, c'est la substance des théories Zen qui est à l'origine de l'élévation spirituelle dont sa peinture procède.

Comme Bissier, Tobey connaîtra une gloire tardive; l'importance de son œuvre ne sera reconnue qu'après 1945 alors qu'en 1935, déjà, il avait élaboré tous les éléments de son style. En outre il avait été à l'origine, dans la ville de Seattle, de ce qu'on appelle l'École du Pacifique, c'est-à-dire d'un groupe d'artistes (dont Morris Graves) qui, au lieu d'être ouverts aux influences européennes, à la manière de leurs confrères new-yorkais, à l'exemple de Tobey, cherchent un enseignement du côté de l'Extrême-Orient.

Quant à Tobey, on dirait que son tempérament le prédispose à fuir le matérialisme actif de la civilisation occidentale qui atteint aux États-Unis son paroxysme. Si on se penche, en effet, sur l'œuvre de Tobey (le portrait de Wymer Mills, de 1917, est révélateur à cet égard), on s'aperçoit que, tout à fait

196   197

198   199

196. Giuseppe CAPOGROSSI, *Surface 290*, 1958. – 197. Julius BIS-
SIER, *Encre de Chine sur papier japon*, 1937. – 198. Mark TOBEY,
Broadway Norm, 1935. – 199. Mark TOBEY, *Broadway*, 1936.

200. Roger BISSIÈRE, *Voyage au bout de la nuit*, 1955.

à ses débuts, sous les traits les plus réalistes, ce peintre insolite qui travaille dans une gamme évanescente, cherche à exprimer des états intermédiaires entre le rêve et la réalité. Comme si dans ses œuvres la réalité prenait le large et était appelée à révéler autre chose que son propre aspect. C'est l'évident besoin d'une expression intérieure, d'un contenu lointain que Tobey ressent face au réel. Et dans ce sens la tradition esthétique européenne, passée et récente, ne lui est d'aucun secours. Comme tout être en rupture avec son temps, Tobey est « ailleurs » — ce qui explique du reste l'affermissement tardif de sa peinture et aussi l'attrait que présentent pour lui certaines doctrines mystiques orientales.

En 1934, enfin, il peut partir pour la Chine. De là il se rend au Japon où il séjourne pendant un mois dans un monastère Zen de Kyoto. C'est là que Tobey a la révélation de ce qu'il avait toujours cherché : « Une fois que j'étais assis, écrit-il, à la terrasse de ma chambre qui donnait sur un petit jardin, intime, plein de fleurs épanouies sur lesquelles planaient des ballets de libellules, j'ai senti que ce petit monde, presque sous nos pieds, avait sa valeur propre, que l'on devait le réaliser et l'apprécier à son niveau dans l'espace. » Au fond de son être, Tobey a ressenti l'impérieuse relation entre l'infiniment petit et l'infiniment grand. Dès son retour en Europe le renouvellement de sa peinture se manifeste. En 1935, il peint une petite tempera *Broadway Norm* qui n'est autre que le signe de Broadway — le déroulement sans répit d'une ligne sans fin ni commencement, sa multiple arabesque. C'est l'apparition de l' « écriture blanche » (white writing) qui caractérise l'œuvre de Tobey, qu'il développera surtout à partir de 1940 et dont nous avons déjà signalé l'influence sur Pollock. Mais l'écriture blanche et totalement abstraite n'est pas une fin pour Tobey. Il suffit de comparer *Broadway Norm* (1935) et *Broadway* (1936) pour saisir la souplesse de sa démarche et son indifférence à l'égard des cloisons que nous mettons entre abstraction et figuration. Que ce soit avec l'aide du seul signe ou en rattachant spontanément le signe à une forme concrète, dans l'un et l'autre cas, Tobey exprime ce qui est pour lui le contenu de la réalité : un mouvement tissé au plus profond du temps.

198
199

Un autre peintre dont l'œuvre parvient à surmonter le dessèchement intellectuel des années trente est le français *Roger Bissière* (1884-1964). Lui aussi, comme Tobey et Bissier, découvre tardivement sa vraie voie. Mais le revirement chez lui s'opère loin de tout apport culturel, au simple contact de la nature. En 1939, Bissière quitte Paris et va habiter sa vieille maison de famille, dans le centre de la France. Là, il cesse de peindre, menant pendant cinq ans la vie du cultivateur. Ainsi l'acceptation des gestes les plus humbles agit-elle sur lui

200

comme un retour aux sources et cet artiste qui avait
été fasciné jusque-là par la part cérébrale du
cubisme, retrouve la fraîcheur de l'instinct. Quand il
se remet à la peinture, en 1945, le passé est rayé de
son œuvre. Un lyrisme profond a remplacé la rigueur de ses anciens tableaux et sa liberté est si
grande qu'au lieu de « raconter des émotions », il
préfère en « recréer les causes ». Comme il le dira
lui-même, « au lieu de renfermer dans une forme
définie un fait pictural », il part désormais d'un fait
pictural et, au fur et à mesure, il lui donne une
forme – la forme d'une émotion qui a toujours son
origine dans la nature, dans la vie qui lie Bissière
à la réalité qui l'environne. Par un tout autre chemin, dans la solitude de sa retraite, il est parvenu
au même point où les influences extrême-orientales
ont conduit Bissier et Tobey, là où vie et peinture
se confondent en un flux unique, où le mouvement
même de l'existence gouverne la forme.

Cette conquête de la liberté qui, à la faveur des
circonstances, s'accomplit d'emblée dans l'œuvre
de Bissière, sera progressive dans la peinture
d'autres artistes français comme Estève, Bazaine,
Manessier et d'autant plus laborieuse que l'emprise
du cubisme sur eux aura été plus forte. Chez *Estève*
(né en 1904) le dépassement du cubisme s'effectuera
d'abord comme une superposition irrationnelle de
plans, rendue possible grâce à la transparence de
la couleur qui est le secret d'Estève; par la suite
ces plans colorés s'étaleront en une unique surface,
la transparence deviendra lumière, c'est-à-dire
affrontement de couleurs pures et l'ambition de
chacun des tableaux d'Estève sera de susciter face
à la réalité un monde aussi réel, aussi dense qu'elle,
mais régi par la peinture.

Manessier (né en 1911), de son côté cherchera
à recréer un ordre par allusion, demandant au ta-

bleau d'être avant tout l'expression d'une atmosphère et dans ce sens une de ses réussites les plus
anciennes est la peinture *Espace matinal.*

Quant à *Bazaine* (né en 1904), il a défini mieux   204
que personne sa propre démarche : « Prendre le
parti des choses, ce n'est pas s'y enfermer en s'iden-
tifiant à elles, [...] c'est s'introduire dans leur durée,
introduire une durée vivante, mouvante, un temps
de structure, dans leur espace arrêté. » Loin de
l'abstraction qui, dans sa forme poussée, lui semble
« une géométrie sans vie », il rêve d'un acte de
peindre qui fasse tomber les barrières rationnelles,
qui soit comme « le geste de la nature dessinant
d'un même élan les remous de l'arbre, de l'eau ou
des nuages ».

Très lié à ce groupe d'artistes a été autrefois
le peintre *Lapicque* (né en 1898), revenu actuelle-   203
ment vers une figuration manifeste après ses intéressantes recherches abstraites aux environs des années
cinquante.

Parmi ces peintres qui travaillent à Paris, il faut
mettre à part une artiste qui a élaboré un style personnel très puissant : *Maria Helena Vieira da Silva*   205
(née en 1908). L'évolution de sa peinture depuis
1947 permet de voir comment le sujet représenté
s'éloigne progressivement de son aspect réel et dans
son éloignement, pendant que les formes s'en-
castrent les unes dans les autres, une angoisse se
dégage qui se répercute sur la technique. Le pinceau appuie ou frôle la toile, la touche frissonne,
réprime son élan, reprend plus loin son chemin, des
lignes discontinues se chevauchent, ouvrent et
ferment l'espace. Villes, rues, leur inextricable
emmêlement, sont les éléments favoris de cette
peinture pour qui rien ne finit, rien ne commence.

Comme Vieira da Silva, l'Américain *Philip*   206
Guston (né en 1912) sensibilise à l'extrême sa touche

pour en faire le véhicule de la forte charge émotionnelle qui est à l'origine de son tableau. Mais chez lui la touche est comme rongée par un malaise. C'est ce malaise que la palette de Guston exprime avec ses tons stridents, avec le cheminement sournois de certaines couleurs qui se diluent ou se déversent sur d'autres sans jamais sortir de leur indécision.

Ce qui distingue, en outre, Guston parmi ses confrères américains, c'est le sens des nuances, la recherche d'une finesse dans l'expression, que l'on peut voir aussi chez *Jack Tworkov* (né en 1900), mais que la peinture américaine de cet après-guerre ostensiblement refuse non sans créer parfois des drames, comme dans le cas de *Robert Motherwell* (né en 1915). Cet artiste (qui est peut-être le peintre américain le plus lucide de sa génération) nous semble dominé par le violent désir de s'opposer à la tradition européenne, mais tout en étant sensible à ses valeurs. La volonté de dépasser la morphologie cubiste au nom d'une expression plus spontanée se complique chez Motherwell de cette psychologie particulière à l'artiste américain de l'après-

201

202

203

201. Alfred MANESSIER, *Espace matinal,* 1949. – 202. Maurice ESTÈVE, *Copenhague,* 1959. – 203. Charles LAPICQUE, *Régates,* 1946. –

guerre qui doit à tout prix affirmer son autonomie par rapport à l'Europe, alors que sa propre personnalité est, en fait, très proche des artistes européens, notamment des français. Le résultat en est ce profond déchirement que l'œuvre de Motherwell atteste. Passé de l'influence cubiste, à celle,

204. Jean BAZAINE,
L'Atelier, 1946.

contraire, du surréalisme, pour les rejeter finalement toutes les deux comme une encombrante
tutelle, il s'est cantonné dans de monocordes aplats
qui semblent exprimer une sourde désolation, la
partie la plus animée de son œuvre étant constituée
par les collages, surtout par ceux réalisés avec des
papiers lacérés.

L'ample raccourci de la forme qui hante la
peinture de Motherwell, apparaît aussi dans les
œuvres de son compatriote *Gottlieb* (né en 1903)
ou dans la vision déjà plus finement elliptique de
l'anglais *William Scott* (né en 1913). Cette ellipse
atteint une exemplaire pureté plastique dans les
paysages récents du Français *Arpad Szenès* (né en
1897). Le lyrisme diffus que Szenès exprime dans
ses œuvres où les gris-blancs et les ocres prédomi-
nent, était naguère sensible dans les tableaux de
l'Italien *Santomaso* (né en 1907) avant que celui-ci
ne fût attiré par la peinture gestuelle. Lyriques
également, mais bien plus tendus sont les tableaux
des Français *Olivier Debré* (né en 1920) et *Jean
Messagier* (né en 1920) qui conçoivent la forme
comme une relation libre de toute contrainte entre
le peintre et le réel.

209
210
211
212
213

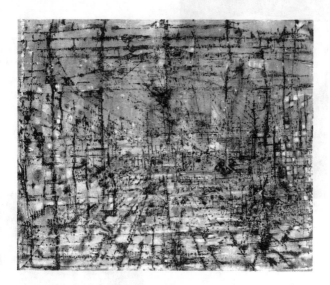

205. Maria Helena VIEIRA DA SILVA, *La Gare Saint-Lazare*, 1949.

206. Philip GUSTON, *Zone*, 1953-54.

207

207. Robert MOTHERWELL, *Little Greek*, 1960. — 208. Jack TWORKOV, *Jeudi*, 1960. — 209. William SCOTT, *Orange et bleu*, 1957.

208

209

210

211

210. Arpad SZENES, *Iles sous le vent*, 1962. — 211. Giuseppe SANTO-MASO, *Souvenir vert*, 1953.

212. Olivier DEBRÉ, *Noir fleuri*, 1959.

213. Jean MESSAGIER, *Juillet à travées*, 1960.

Conclusion

I

Ce rapide tour d'horizon n'a d'autre objet que d'indiquer dans ses grandes lignes la dernière phase de l'abstraction – phase inachevée et des plus ambiguës dans la mesure où, contre toute logique elle nous oblige à parler d'abstraction figurative ou de figuration abstraite, ou tout simplement d'une non-figuration qui aurait succédé à l'art abstrait pur d'avant la guerre de 1945. Quel que soit le terme de l'avenir choisira (ou forgera), il est certain qu'appelée à définir ces nouvelles formes dont nous sommes les témoins, notre pensée (occidentale) les ressent comme une contradiction.

Or, si l'évolution récente de l'art est venue raviver cette contradiction, elle ne l'a pas créée. La contradiction est en germe dans la définition même « art abstrait » telle qu'elle figure dans notre vocabulaire. L'usage et le temps l'avaient, certes, estompée au point de la faire oublier, mais voilà que l'art lui-même nous la rappelle.

A cela rien d'étonnant. Toutes les formules que le langage refuse et que l'usage consacre sont hautement révélatrices. Que l'on songe à la façon dont on désigne les autres tendances de l'art moderne : le mot « fauves » n'est qu'une image symbolique, « cubisme », à peine une métaphore, « surréalisme », une direction clairement indiquée. L'expérience a glissé dans le sens du langage sans le forcer. Alors que le jour où, pour définir certaines formes, il a fallu réunir en une seule formule art et abstrait, ce sens-là a été heurté de front. Langage et logique ont été mis à l'épreuve et le recours à la contradiction pour nommer un art qui existait, puis l'adoption de cette contradiction ont marqué une rupture. La rupture où se tient cette part de notre vie que l'on sent en porte à faux sur le passé et qui représente, objectivement vu, le xxe siècle.

Dans l'esprit de chacun est assez vivace l'idée de la prééminence de toute époque historique, telle la Renaissance, qui a su approfondir et élargir la connaissance rationnelle de l'homme en même temps que celle du monde, pour que l'apparition et la diffusion de l'art abstrait ne soient pas troublantes. Ne sommes-nous pas les descendants directs des humanistes et aussi de Descartes. Si cet héritage nous empêche d'aborder l'art abstrait de plain-pied, il nous aide cependant à l'approcher.

Dans les pages qui précèdent nous avons pu voir que dès qu'on suit l'évolution de l'art abstrait, bien plus qu'une tendance de l'art moderne, il apparaît comme un phénomène. Il en a l'ampleur et la complexité. Nul doute qu'une histoire de l'art abstrait serait à l'heure actuelle prématurée. Mais nul doute non plus qu'il soit nécessaire de questionner ces formes abstraites que l'on peint et que l'on sculpte depuis plus d'un demi-siècle : l'art, grâce à son action immédiate, n'est-il pas un lieu privilégié pour la prise de conscience d'une époque ?

LA PENSÉE DE L'ART ABSTRAIT. A l'instant où la pensée suppose un art abstrait, comme un indispensable appui surgit la notion de réalité. De la manière la plus hâtive et dans les limites strictes de l'esthétique, on pourrait répondre que l'art abstrait dont nous sommes les témoins s'éloigne de la réalité telle qu'elle était encore représentée dans l'art occidental au XIXe siècle. Si l'art abstrait était une tendance et non pas un phénomène, il suffirait en guise d'explication de citer l'exemple d'un Mondrian : parti d'une réalité déterminée, progressivement il l'épure et aboutit à une image abstraite qui, par la suite, se développe selon ses propres lois. Faisant d'un tel exemple la règle, c'est à peu près l'explication que nous ont donnée les premiers exégètes de l'art abstrait. Mais si elle était satisfaisante pour ceux qui avaient connu l'avènement de l'art abstrait, elle ne l'est plus pour nous qui assistons depuis la guerre à une transformation radicale de la forme abstraite, à un déclin de l'abstraction sous son aspect de la première heure, évident, pur, et à un regain de l'abstrait au sein de la figuration, telle qu'elle apparaît chez nombre d'artistes importants. Ces artistes que nous avons étudiés dans le dernier chapitre, que ce soit Wols, Tobey ou Vieira da Silva, pour n'en citer que quelques-uns, ne sont nullement abstraits et pourtant les formes qu'ils créent ne comportent pas de réalité reconnaissable. Ce sont des formes qui se rattachent étroitement à la réalité, mais quelle est cette réalité qui ne s'identifie pas à ce que nous voyons? Quelle est cette structure plastique qui dérange assurément la structure de la pensée puisqu'elle nous force à admettre que figuration ne veut plus dire réalisme?

Cette dissociation étant un fait accompli, il ne nous suffit plus d'expliquer l'art abstrait comme un éloignement de la réalité. Même si quelque chose d'invétéré en nous s'y oppose, c'est la notion de réalité qu'il faut reconsidérer. La manière dont la démarche de l'art, dans son ensemble, se trouve infléchie depuis le début du siècle, cette fin du réalisme auquel a succédé d'abord une abstraction explicite, puis une abstraction implicite, cette persistance, en somme, de la vision abstraite, sournoise et plus troublante encore sous les traits de la figuration, nous oblige à analyser l'image même de la réalité au-delà de nos habitudes, au-delà des idées reçues. L'invariable caractère de l'art par rapport à la conscience n'est-il pas semblable à celui d'un sismographe? Dans quelles couches profondes s'est donc produit le déplacement qui a provoqué l'art abstrait?

Pour répondre, il est nécessaire, je crois, de reprendre la question à la base.

La forme de réalité qui cesse d'exister dans l'art abstrait est bien celle qui triomphe au xve siècle et que la peinture italienne du xvie siècle achève de mettre au point. Cette représentation-là du monde extérieur qui remplit d'orgueil l'homme de la Renaissance et qui dominera l'expression artistique jusqu'à la fin du xixe siècle, représente l'image la plus accomplie, la plus cohérente de ce que l'œuvre d'art abstraite conteste en soi. Ce qui l'avait déterminée et qui, par la suite, en a assuré la puissance, nous est connu : c'est la confiance de l'homme dans le pouvoir absolu de son intelligence appelée à dévoiler le monde extérieur. L'observation directe prévaut à partir du xive siècle et elle s'appuie sur le seul moyen alors susceptible de retenir ses conquêtes : la main de l'artiste. Art et connaissance vont de pair. Le peintre *exprime* dans la mesure où il découvre. Et il ne tarde pas à entrevoir, à travers les formes, des normes, une méthode, un système infaillibles. Quand la perspective linéaire s'impose dans la peinture, elle est autant figuration de l'espace que certitude scientifique. Voilà pourquoi le réalisme qui s'ensuit

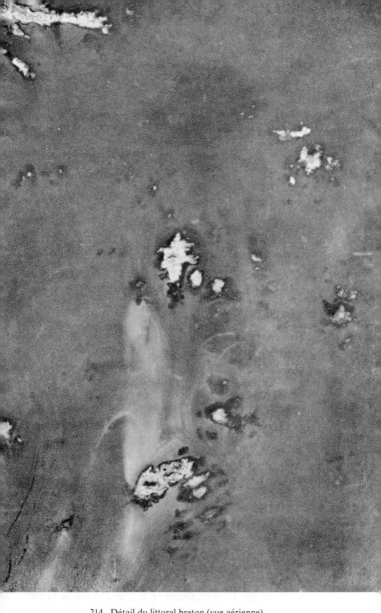

214. Détail du littoral breton (vue aérienne).

étreint comme une gangue notre esprit (d'Européens) et finit par confondre ses données avec la
conception même du réel.

Pourtant, dès le milieu du XVIᵉ siècle l'art se
sépare de la science. Galilée prouve les pressenti-
ments de Copernic que la cour de Rome dénonce
comme hérétiques, puis il abjure, mais il sait que
la terre continue de tourner. L'autonomie de l'art
s'affirme. Les formes poursuivent leur chemin.
Différents styles naissent et meurent en Europe,
mais les lois visuelles établies par la Renaissance
demeurent inébranlables. A nos yeux la réalité
reste attachée à des données que tradition et routine
concourent à maintenir. Aussi étrange que cela
paraisse, nous sommes fixés au sol là où l'expérience esthétique a décollé il y a plus d'un demi-
siècle. S'il est de règle qu'on soit en retard sur son
temps, il va sans dire que ce retard s'accentue
chaque fois qu'il y a rupture. Or, rupture en matière
de civilisation n'est-ce pas précisément cette
insuffisance des cadres du passé dans le jugement
du présent, que l'on constate dès qu'on essaie de
comprendre l'art abstrait?

Le grand obstacle cependant qui nous empêche
de prendre conscience de cette rupture c'est l'emprise qu'a sur nous la Renaissance. Sa vision nous
obnubile. Toutefois même s'il nous est si difficile
d'imaginer qu'il puisse y avoir autre chose qu'elle,
nous avons un moyen de nous y soustraire : c'est
en faisant l'effort de la contourner pour nous retrouver à son point de départ, là où cette vision et ce
qu'on a appelé Renaissance n'étaient rien d'autre
qu'une rupture par rapport au temps qui les avait
précédées. Alors seulement, en voyant comment
une époque se disjoint de l'autre, nous serons à
même de réaliser que par rapport au Moyen Age
la position de la Renaissance est analogue à celle
qu'occupe aujourd'hui l'art abstrait vis-à-vis d'elle.

La perspective avait percé l'unique dimension des fonds d'or de la peinture du Moyen Age quoique celle-ci solennisât l'inviolable mystère de la création scellé par Dieu, et l'espace à trois dimensions, la *réalité* qui avait surgi, était certainement aussi neuve pour les contemporains que l'est pour nous la réalité de l'art abstrait. Mais comme cette nouvelle réalité était du même coup le savoir opposé à la foi et que ce savoir objectif (plus tard devenu science), à l'origine allait de pair avec son double subjectif, l'art, ce lien initial entre art et science, n'a pas cessé de conditionner notre esprit d'Européens. La subjectivité nous inquiète, l'objectivité nous rassure. Nous avons besoin de croire à une réalité objective, de la voir face à nous. Inconsciemment, dans notre esprit, l'art a pour corollaire la réalité telle que la Renaissance l'a vue, comme si elle était fixée une fois pour toutes. C'est pourquoi nous sommes à ce point désemparés lorsqu'il s'agit pour nous d'envisager un art dépourvu de son corollaire traditionnel, un art abstrait. D'autant plus que la subjectivité, en expansion depuis le romantisme, a atteint dans les œuvres abstraites une forme extrême, qui, pour être contrebalancée, exige du jugement une objectivité de force égale. Tant que celle-ci fera défaut, le déséquilibre qui en résulte pour la pensée nous poussera à aborder l'art abstrait avec des critères qui appartiennent au passé. Nous serons tentés, notre façon de penser, ne serait-ce que par la force d'inertie, nous conduira à poser comme terme de comparaison cette même réalité que l'art abstrait élude.

Voilà où nous entraîne la contradiction entre art et abstrait. Voudrait-on, en connaissance de cause, la surmonter, on n'a pas d'autre choix que de *supposer* une forme de réalité en rupture comme le fut à son heure celle de la Renaissance, une *réalité*

à venir, et d'en chercher par analogie les assises
objectives dans la science, qui faisait corps, ne l'oublions pas, avec l'art renaissant lorsque celui-ci
rejeta la vision du Moyen Age. Confronté ainsi
avec la science actuelle, l'art tout en étant abstrait
reprendrait son rôle traditionnel de miroir, du
moment que ce qui est en lui existerait hors de lui.
La référence rétablirait l'équilibre, du moins pour
la pensée, et la réalité de l'art abstrait deviendrait
concevable.

ART ABSTRAIT ET EXPÉRIENCE SCIENTIFIQUE. Du
côté des sciences on est frappé d'apprendre que
dans les hautes sphères de la physique, science de la
nature par excellence, le mot « réel » n'a plus cours.
Il est tombé en désuétude. Là aussi, donc (comme
dans l'art), le caractère fini et limité du réalisme
appartient au passé. Sa lenteur descriptive reste en
deçà du mouvement où le monde extérieur intermi-
nablement se fait et se défait. Elle serait artifice,
manière vide, rien de plus. Car rien dans l'expérience scientifique ne correspond plus à cette rassu-
rante présence objective que nous appelons encore
(jusqu'à quand?) réalité.

Comment la science en est arrivée à ce que la
réalité à laquelle elle était habituée perde ses signes
distinctifs, c'est la progression même de la recherche
scientifique qui nous l'indique.

Vers le milieu du xixᵉ siècle la physique change
d'aspect : elle commence à s'écarter de sa voie traditionnelle. Le changement intervenu dans sa
démarche tend à laisser de côté l'observation
directe et inaugure ainsi une forme d'investigation
où les données rigides du réalisme expérimental
progressivement s'estompent (comme celles du réalisme pictural dans les tableaux impressionnistes).

Traduit en une image parallèle le réel s'assouplit (souvenons-nous des derniers Monet). Cependant, à cette époque, la physique « précise et étend en tous sens la connaissance des phénomènes qui se jouent à l'échelle humaine ». (L'échelle humaine, en peinture, n'est-ce pas la sauvegarde de l'objet? Son intégrité, si le peintre l'analyse, comme Cézanne, comme Seurat, il ne la respecte pas moins.) Ce monde à la portée de l'œil est pourtant condamné. Sa stabilité se révèle illusoire : la mécanique ondulatoire le prouve, venue remplacer le système de Newton, et Max Planck dont le nom reste lié à la théorie des quanta, expliquant le passage de l'une à l'autre dira : « Ainsi que la physique classique décompose spatialement le système considéré en ses plus petites parties et ramène par là les mouvements des corps matériels aux mouvements de leurs points matériels considérés à priori comme invariables, la physique des quanta décompose chaque mouvement en ondes matérielles périodiques... » – la conclusion échappe au profane, mais un lecteur attentif, comment ne verrait-il pas dans cet énoncé de la « décomposition spatiale » la démarche même du cubisme saisie à l'endroit précis où elle aboutit aux formes abstraites, proche et pourtant séparée de la véritable expérience abstraite?

Le seuil, la charnière en peinture entre figuration et abstraction, c'est bien cette curiosité analytique du cubisme qui réduit l'objet à une forme abstraite, mais ne cesse de supposer la réalité telle que nos sens la perçoivent. Même lorsque dans leurs tableaux de 1912-1913 Braque et Picasso regroupent en une synthèse les formes issues de l'analyse préalable et que l'ensemble prend toutes les apparences de l'abstraction, c'est encore un objet connu, précis qui est à l'origine du tableau, c'est la réalité, en somme, qui régit la perception. Seulement, celle-ci se trouve modifiée dans la

215. Vignobles sur la rive droite de la Dordogne.

mesure où elle n'accepte plus le réel tel quel, mais le transpose. Par conséquent, dans le cubisme le rôle central des sens demeure incontesté. D'un côté le peintre, de l'autre la réalité. Entre eux, pour les unir, la perception.

Or, l'art abstrait commence à partir du moment où ce lien est brisé.

Dans le domaine de la physique, la recherche tranche sur le passé le jour où elle place la réalité au-delà des facultés perceptives. Depuis le siècle dernier, la structure du monde de la physique, pour reprendre les mots de Planck « n'a cessé de s'éloigner du monde des sens, perdant ainsi graduellement ses caractères anthropomorphes originels ». « L'œil humain, dira Planck, n'est plus qu'un réactif fortuit, certes très sensible, mais aussi très limité, car il ne perçoit de rayons qu'à l'intérieur d'une courte région spectrale qui s'étend sur une octave à peine. » Les sens ainsi détrônés, que restait-il à l'homme de science, sinon la possibilité d'accéder par la voie de l'abstraction là où ses sens n'avaient plus accès? Toutefois l'abstraction, au début, semblait n'avoir qu'une valeur complémentaire : elle relayait la perception à partir d'un certain point dans l'étendue où la réalité débordait. En deçà, dans le champ restreint de la perception, le monde extérieur continuait d'exister égal à lui-même, son immuable conformation « objective » dressée face à l'humaine subjectivité.

Mais cette situation allait à son tour prendre fin. Du fait d'être limitées, infiniment limitées par rapport à la totalité du réel existant, les perceptions étaient trompeuses : l'image de la réalité qu'elles nous révélaient était une illusion. C'est ce qu'Albert Einstein devait prouver, en formulant, en 1905, la première partie de sa fameuse théorie de la relativité. Espace et temps n'étaient qu'un. Cet autre espace et cet autre temps concrètement mesurables qui ordonnent notre expérience quotidienne étaient des faux-semblants, de pures conventions. La perception restait dupe là où l'intelligence savait pertinemment qu'il n'y avait qu'une mouvante unité d'espace plus temps plus énergie. Seul lien entre elle et l'homme : l'abstraction. Concevoir succédait à voir.

Désormais les savants avec juste raison pourront qualifier de naïf le réalisme de naguère. De même les historiens de l'art. Par ces secrètes tangences qui existent entre les diverses activités d'une époque, entre les découvertes de l'esprit et celles de la sensibilité, la toute première aquarelle abstraite que Kandinsky réalisa en 1910, relève moins de l'espace fixe, tridimensionnel du siècle dernier que de la mouvante unité espace-temps conçue par Einstein.
L'imagination délivrée ici de toute attache est élan. Elle tend les formes, les propulse, exalte les couleurs. On dirait que l'espace sans contrainte de l'abstraction appelle cette envolée lyrique. Pendant plusieurs années les tableaux de Kandinsky évoluent sous le signe de la joie, avant que ne se fasse sentir le contrecoup de la liberté conquise. Que sera-t-il, ce contrecoup de la liberté abstraite? Un surcroît de lucidité et une nouvelle ambition, peut-être surhumaine : celle d'atteindre à une forme absolue. Une volonté d'ordre apparaît. Le peintre questionne le nouvel espace, fait appel à la géométrie, rêve de lois visuelles. Le recours passionné au cercle, au carré, à l'angle droit indique bien cette foi qui anime les grands pionniers de l'art abstrait, la foi en une forme première, universelle à laquelle Mondrian aspire plus encore que Kandinsky, mais dont Malévitch, brûlant les étapes, avait déjà pressenti les limites en 1918 lorsqu'il avait peint

son *Carré blanc sur fond blanc.* Mais Malévitch vit à Moscou et son troublant message est lent à parvenir en Occident. Aucun peintre, du reste, ne touchera du doigt l'origine et la fin de l'abstraction comme lui, et la science seule fera écho à sa prémonition.

Dans les sciences physiques, l'essor sans précédent déclenché par les découvertes d'Einstein passe par différentes phases qui épousent curieusement le cours de l'art abstrait. D'abord l'euphorie de la lucidité accrue, l'orgueil d'une connaissance immensément assouplie, capable de franchir les plus subtils obstacles et aussi toute l'ambition qui s'y rattache. Comment ne pas rapprocher celle-ci de l'ambition parallèle de l'art abstrait? Pendant les années vingt où les peintres abstraits s'acharnent à trouver un absolu géométrique qui exprime le monde visuel, les physiciens croient fermement pouvoir atteindre l'ultime constituant de la matière et enfermer ainsi le monde extérieur, de l'infiniment petit à l'infiniment grand, dans une loi unique. Rien d'excessif dans un tel désir, puisque le lien entre ces deux infinis avait déjà été décelé, puisque la science avait saisi l'analogie constitutive qui existe entre le système solaire et l'ultime lieu de la matière. Pourtant, en 1927, Heisenberg énonce le principe d'incertitude, la loi physique qui enlève l'espoir d'aboutir à une certitude finale. La grande boucle ouverte au début du siècle reste béante. La limite c'est l'illimité, le « blanc sur blanc » de Malévitch, cette forme qui est mais qui n'existe pas, à la manière dont à une température proche du zéro absolu « la matière est, mais n'existe pas ».

Le chemin de l'abstraction conduisait assurément trop loin. La paisible déclaration de Max Planck que « dans cette visée d'un réel absolu et son incapacité de l'atteindre réside l'élément irrationnel inhérent à l'activité scientifique », si on la reporte à l'art, on réalise aussitôt combien elle a été lourde de conséquences.

Une fois franchie l'étape géométrique de l'art abstrait qui culmine peu après 1930 dans le vaste mouvement « Abstraction-Création », l'irrationnel fait irruption et suscite après 1945 ces tendances que nous avons vues où l'abstraction survit sans se nommer sous les traits les plus divers. Pour toutes ces tendances, que ce soit le tachisme, l'informel, l'action painting, l'expression calligraphique et jusqu'à la figuration, la forme est par nature indéterminée, imprévisible, insaisissable et pourtant décisive, effet souverain dont la cause première est hors d'atteinte. L'imagination surexcitée devant l'espace abstrait, reconnu, mais non dompté, redoublant d'inquiétude semble faire sienne, presque à la lettre, cette tâche que Louis de Broglie assigne à la science : « Il ne suffit pas pour satisfaire la curiosité de l'esprit humain, de savoir comment se comportent les corps matériels pris dans leur ensemble, dans leurs manifestations globales, comment se jouent les réactions entre lumière et matière quand on les observe en gros; il faut descendre aux détails, chercher à analyser la structure de la matière et de la lumière et à préciser les actes élémentaires dont l'ensemble donne naissance aux apparences globales. »

C'est bien l'image de l'expression abstraite de l'après-guerre, de cette dernière phase de l'évolution de l'abstrait, dont nous sommes les contempo-

---

216. Structure mosaïque d'un cristal de chlorure de sodium observé au microscope électronique. – 217. Image de la structure atomique d'un cristal de nickel-phtalo-cyanine obtenue avec un photosommateur G. v. Eller.

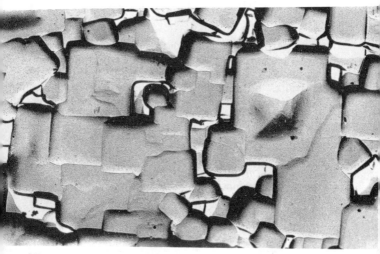

216

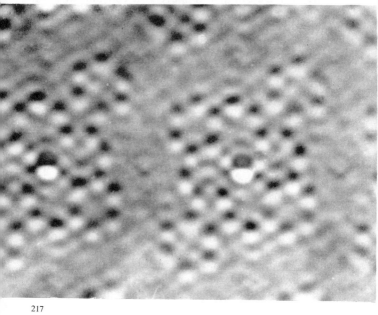

217

rains perplexes. Ces formes qui cherchent à exprimer « les actes élémentaires dont l'ensemble donne naissance aux apparences globales » ont cessé d'être abstraites d'intention, mais elles portent en elles l'abstraction comme une valeur intérieure, inséparable de leur substance. Et quant à l'insoluble ambiguïté qui les distingue, elle n'est pas sans relation avec l'image même de la réalité, touchée, contaminée dirait-on par l'abstraction, devenue cette masse discontinue, simultanément absence et présence qui, pour reprendre le mot de Stéphane Lupasco, ne peut pas être définie comme « élément, mais comme événement ».

Là où naguère encore les sens établissaient un lien certain entre l'homme et le monde extérieur, l'abstraction a creusé un abîme. Tout chemin est détour. Détour par rapport à la convaincante simplicité des coutumes passées, vertigineux raccourci en direction de l'avenir. La physique moderne, mûrie dans la patiente observation des phénomènes naturels, une fois mise sur la voie de l'abstraction a déclenché une série de prodigieuses découvertes et, arrivée au faîte, elle n'a pas tardé à faire les aveux suivants que nous lisons sous la plume de Werner Heisenberg : « ... Cette nouvelle situation dans la science moderne de la nature nous montre que nous ne pouvons plus du tout considérer comme une chose « en soi » les moellons de la matière, lesquels, à l'origine, étaient tenus pour la réalité objective ultime, qu'ils se dérobent à toute fixation objective dans l'espace et dans le temps et que, au fond, nous disposons pour tout objet de science de notre connaissance de ces particules. [...] Nous nous trouvons au sein d'un dialogue entre la nature et l'homme dont la science n'est qu'une partie, si bien que la division conventionnelle du monde en sujet et objet, en monde intérieur et en monde extérieur, en corps et en âme ne peut plus s'appliquer et sou-

lève des difficultés. Pour la science de la nature [...]
le sujet de la recherche n'est donc plus la nature en
soi, mais la nature livrée à l'interrogation humaine,
et dans cette mesure l'homme [...] ne rencontre ici
que lui-même. » Et enfin la conclusion de Heisenberg : « Pour la première fois au cours de l'histoire,
l'homme se trouve seul avec lui-même sur cette
terre, sans partenaire ni adversaire. »

Cet élargissement extrême de l'abstraction qui
se referme sur l'homme, s'il peut être *dit* par la
science, c'est que le propre de celle-ci est la précision. L'incertitude elle-même, mise en formule,
devient certitude. Une certitude de l'incertain. Elle
occupe la place de la réalité déchue, cerne le vide
à l'endroit où les valeurs considérées comme
absolues, ont sombré. L'abstraction qui la fonde,
cette abstraction à la deuxième puissance, comment
s'étonner qu'elle détermine la création artistique
dans son ensemble, bien au-delà de l'art abstrait?
La nécessité de transgresser un réalisme révolu
oblige la forme à prendre ses risques, même si faute
d'appui objectif, quel qu'il soit, elle s'aventure
à l'intérieur de sa propre interrogation.

EN DEÇÀ ET AU-DELÀ DE L'ART ABSTRAIT. A un
congrès scientifique en 1927 Lecomte du Nouÿ avait
été frappé par « l'appel pathétique » qu'un grand
physicien lançait à ses confrères : « Ne pourrait-on
conserver le déterminisme, ne fût-ce que comme
une croyance? » Le déterminisme, c'est-à-dire, la
pierre de soutènement de la réalité objective, con-
naissable, que le principe d'incertitude de Heisenberg venait de détruire. On ne saurait imaginer plus
simplement exprimé le désarroi de l'entendement
coupé de ses propres racines.

C'est un malaise de nature analogue qu'on

éprouve lorsqu'on se trouve en face d'un art où rien
ne rappelle plus la vision réaliste du monde extérieur. Car le réalisme dépasse, et de loin, la ressemblance à laquelle sommairement on l'assimile. Il est
encore et toujours la base de notre approche de
l'art, même si la ressemblance est rejetée comme
critère de jugement. Personne ne dira aujourd'hui
qu'une forme est belle parce qu'elle est ressem-
blante – l'art moderne a fait notre éducation dans
ce sens – mais chacun d'instinct est à son aise
devant une forme qu'il reconnaît. Le mouvement
réflexe qui nous pousse à chercher le titre d'un
tableau dont on ne saisit pas d'emblée le sujet, n'est
autre chose que le désir d'être guidé pour pénétrer
les formes. Le réalisme est un fil d'Ariane constamment à notre portée et cette accoutumance fait que
l'art abstrait est pour nous le labyrinthe. Ainsi, par
le truchement de la ressemblance, le réalisme favorise et assure la communication. Il est le trait d'union
entre le moi isolé de l'artiste et les autres. Il est connaissance élargie qui passe par la reconnaissance.

Il suffit cependant de penser que si le réalisme
agit sur nous, c'est par la forme, pour des raisons
esthétiques donc, extérieures à l'objet figuré, indé-
pendantes de lui, et aussitôt le fait de reconnaître ce
qu'une œuvre d'art représente se révèle tel qu'il est
en vérité, c'est-à-dire secondaire. L'autre face du
réalisme ne manque pas alors d'apparaître, sa face
limitative. Garantie traditionnelle de la communication, le réalisme est aussi un frein pour l'imagination.

Contre pareil frein le cubisme a été le premier
à réagir. Le tableau cubiste accepte le monde extérieur, mais ne s'arrête pas devant sa conformation.
Au contraire, il arme la forme afin qu'elle la fran-
chisse. L'objet, associé à une figure géométrique,
dépasse ses propres limites, s'éloigne de lui-même
et ce parcours dans le non-connu, chaque fois plus

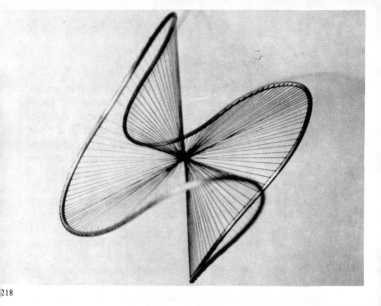

218

19

218. Surface réglée. – 219. Tunnel du Grand-Saint-Bernard.

long, devient l'essentiel. L'objet n'est pas exclu; seulement son passage dans la peinture est laissé à découvert et c'est à l'œil de s'engager dans ce passage, en sens inverse, pour retrouver, au bout, l'objet. « Celui qui regarde le tableau refait le même chemin que le peintre », dira Braque. Ce qui importe désormais à l'artiste c'est la voie conduisant à l'objet et la forme qu'elle prendra.

Il est clair que cette forme, attenante comme elle est à l'objet, mais indépendante de lui, se trouve à l'orée de l'art abstrait. Historiquement elle le précède, mais aussi — (c'est ce que l'on peut constater aujourd'hui) — elle le suit. Mises à part les tendances d'origine expressionniste ou surréaliste ou bien la nouvelle figuration, l'ensemble de la peinture actuelle, dans une attitude d'esprit semblable à celle des cubistes, quoique avec d'autres exigences de forme, a repris contact avec le réel au-delà des limites de l'objet, sans plus même se soucier de ces limites naguère infranchissables. Ouverture totale de la sensibilité, rapprochement extrême de la réalité, cette vision figurative actuelle, amplifiant la liberté d'esprit cubiste, se situe en dehors de toute ressemblance. De toute part, l'art de notre siècle, abstrait ou non, repousse le réalisme.

Or, quand on a aperçu les deux marges qui contiennent l'abstraction pure et qu'on voit comment le pouvoir de celle-ci s'est étendu à des formes qui impliquent la réalité, c'est alors que la question de la communication surgit d'autant plus impérieuse qu'elle concerne presque la totalité de l'art d'aujourd'hui. Par quelles voies cet art agit-il? Le rapport entre celui qui crée et celui qui regarde, où s'établit-il, puisque le lieu traditionnel de ce rapport, le réalisme, n'existe pas?

ART ABSTRAIT ET COMMUNICATION. Une fois de plus il faut chercher la réponse de biais.

L'expérience que l'œuvre abstraite relate étant centrée sur les moyens d'expression spécifiques de l'art, sa signification est à lire dans l'agencement des formes, dans la combinaison des couleurs. Subjective au plus haut degré, chaque peinture abstraite, chaque sculpture abstraite se trouvera par rapport à l'entendement toujours à la même distance, qu'elle soit à peine ébauchée ou achevée. Pas plus « claire » à la fin qu'au début, à l'inverse de l'œuvre d'art réaliste. Qu'est-ce qui fait alors que sa structure nous retient? Et quelle part de nous retient-elle?

A cela la psychologie de la Gestalt a, sans doute, répondu de la manière la plus exhaustive parce qu'elle est parvenue à déceler des balises objectives au fond de l'expérience la plus subjective de la forme, parce qu'elle a pu observer quelques constantes dans les réactions immédiates de nos sens en dehors de l'entendement et sans aucun lien avec lui. Ainsi est-elle venue compléter la psychologie classique qui considère la subjectivité comme insurmontable, du fait même que l'introspection ne peut qu'accroître l'inintelligibilité; sur cette pente où la chute dans l'incommunicable semblait fatale, la psychologie de la Gestalt a mis un frein quand elle a scientifiquement prouvé que ce qui est indicible, n'est pas forcément incommunicable. Et comme toute l'aventure de l'œuvre d'art abstraite se déroule loin de ce qui peut être logiquement énoncé, il me semble que la clef de son message doit être cherchée du côté de la Gestalt (l'intraduisible terme allemand englobant une forme recouverte en quelque sorte par la forme-aspect *et* son expérience). Il y aurait, en somme, une correspondance infaillible entre la forme pure, prise dans sa complexe apparition, et nos structures sensorielles en vertu desquelles nous la percevons. Plus encore, nous serions sensibles à un équilibre ou à un déséquilibre de formes spontanément perçu en tant que reflet de ces mêmes

structures et cela, en particulier, quand il s'agit de
formes produites par l'homme (comme celles de
l'art), parce qu'elles ont été créées à partir de sa
structure sensorielle qui est la nôtre. Cet équilibre-là,
ressenti au ras des sens, donnerait au spectateur,
nous semble-t-il, l'aplomb que la ressemblance
lui donne dans l'œuvre d'art réaliste et c'est à ce
niveau-là que la communication aurait lieu dans
l'art abstrait : en deçà des mots, en deçà des cadres
intellectuels, dans un périmètre où il n'y a que des
données sensorielles communes à celui qui agit
et à celui qui regarde agir. La psychologie de la
Gestalt a constaté qu'à l'intérieur de ce périmètre
l'image s'organise suivant des champs visuels, obéissant aux lignes de force correspondantes et que des
permutations optiques s'accomplissent invariables
d'un individu à l'autre. Aussi a-t-elle pu distinguer
par-delà la forme isolée des ensembles de formes où
chaque élément n'existe qu'en fonction du reste,
si bien que nous saisissons d'emblée le tout et la
partie, c'est-à-dire la relation qui les unit. Cette
expérience immédiate et complexe, simultanément
totale et nuancée, c'est elle que l'art abstrait nous
propose. Sa mise au clair qui représente le point le
plus avancé (et le plus contesté) de la psychologie
de la Gestalt, nous semble essentielle pour la
« compréhension » de la forme abstraite — ce qui est
un mérite certain de cette théorie, contemporaine
par ailleurs de l'art abstrait, puisque ses premiers
rudiments se situent autour de 1920.

IMPASSE DU LANGAGE CRITIQUE ET APPROFONDISSE-
MENT DE L'ABSTRACTION. Le pas est énorme de
pouvoir envisager un comportement objectif des
formes, de pouvoir lier leur action à nos réactions
sans passer par le contenu subjectif qui particularise
l'expression à l'infini. Un fil d'Ariane autre que le

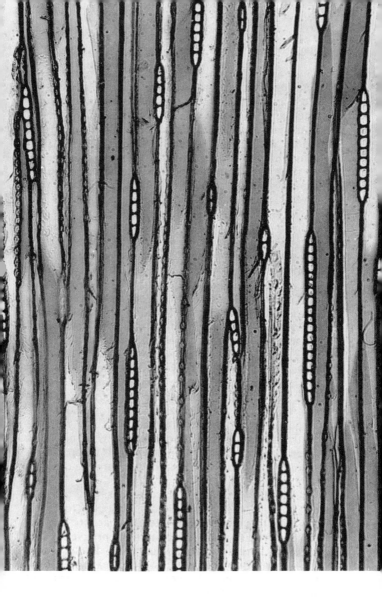

220. Microphotographie de bois.

réalisme, imperceptible, nous guide à notre insu.
L'œuvre d'art abstraite, en se détournant du monde
extérieur se tourne donc vers un fond que nous
avons en commun avec l'artiste et elle cherche à le
rendre visible. Ce qu'elle découvre nous appartient
d'autant plus indissolublement que la conscience
ne peut s'en détacher pour le nommer. Là où, en
apparence, un abîme semble séparer celui qui crée
de celui qui regarde, il n'y a que proximité entre la
chose et son expression — une proximité inconce-
vable dans le passé. Et c'est en devenant abstrait
que l'art l'a provoquée et assumée. Dedans, dans
son enclos, il n'a cessé d'affiner ses moyens. La perception s'est resserrée jusqu'à capter son propre
surgissement et à le transmettre à la forme. Ainsi
cet effort d'intériorisation, ce resserrement de
l'expression sur elle-même a-t-il fini par devenir
une ouverture dans le sens contraire : à l'abstraction
initiale, géométrique, rationnelle, distante a succédé
une *figuration-dans-la-proximité* qui fait échouer le
langage critique. Elle figure, en effet, le monde extérieur, mais comme elle ne s'en détache pas pour le
voir à distance, comme elle est attentive à la relation qui fait glisser la partie dans le tout, pour l'entendement elle est abstraite. De cette manière
abstraction et figuration sont devenues de nos jours
réversibles. L'une s'est infiltrée dans l'autre alors
que les mots qui les désignent continuent de les
opposer.

Il s'ensuit un écart entre la sensibilité projetée
en avant par des expériences plastiques qui l'ai-
guisent et l'entendement retenu en arrière par ses
catégories. D'où les difficultés qu'éprouve le langage vis-à-vis de l'art d'aujourd'hui. La surcharge
de notions qui l'essouffle, si elle s'explique, n'est
pas sans entraver la compréhension. Instrument
suranné pour manier les formes, le langage compte
peu dans la communication de l'expression plas-

tique là où elle se tient. Dans quelle mesure l'art abstrait est-il accepté aujourd'hui? Il est difficile de répondre. Car il s'agirait de savoir dans quelle mesure une œuvre d'art où le réalisme fait défaut ne met pas la majorité des spectateurs mal à l'aise. L'habitude au contenu intellectuel est un frein puissant et, après tout, ce n'est que depuis deux générations que nous regardons des tableaux et des sculptures abstraits. Le conditionnement nous manque. Nous ne pouvons en donner aucune explication sinon par détour. Peu s'en faut alors, niant toute valeur à la théorie de la Gestalt, qu'on considère la communication comme abolie; ou momentanément brisée, selon certains qui attendent un retour franc à la figuration afin que l'art reprenne contact avec le nombre.

Or, raisonner ainsi c'est omettre l'essentiel, c'est oublier l'ambiguïté qui est le ressort même des formes d'aujourd'hui. (Ambiguïté du point de vue rationnel, état polyvalent, en vérité, car il s'agit bien, nous l'avons vu, de pouvoirs étendus, multipliés, à l'opposé de la double insuffisance qui est le caractère de l'ambiguïté.) Le malaise ressenti n'est que de nature intellectuelle, et la communication nullement abolie ou brisée, mais seulement refoulée par l'entendement est devenue imprégnation. L'art abstrait, compris ou non, a désormais marqué notre existence quotidienne. Le raccourci que la forme abstraite emprunte, a dicté ses lois à la publicité, sous tous ses aspects graphiques. L'ellipse méditée de la ligne abstraite se retrouve à la base du dessin industriel, accompagne ses performances. Enfin, le dépouillement fonctionnel de l'architecture vient directement de l'esthétique abstraite. Tous ces signes et d'autres qui seraient du domaine de la sémiologie ne trompent pas. Le cadre de notre vie a accueilli ce qui doit encore forcer les cadres de notre pensée pour y être admis. La vie a assimilé et, dans une certaine mesure, assujetti l'abstraction. Les formes abstraites ont agi en profondeur. Ne serait-ce pas une confirmation, en marge de la théorie de la Gestalt, des vérités qu'elle défend? En tout cas, l'art qui ne prouve jamais, mais indique, puisqu'il précède, a été une fois de plus le traditionnel médiateur. A travers ses méandres abstraits, il a aplani, il aplanit le passage de la réalité classiquement conçue à la réalité qui lui a succédé : la nôtre.

II

Pour aborder l'art abstrait, la condition indispensable, à notre avis, était de parvenir à séparer la réalité du réalisme et d'entrevoir pour cette réalité « nouvelle » une possibilité de communication en dehors de l'entendement. Entreprises, l'une et l'autre, qui ne vont pas sans effort pour l'esprit. On objective mal et on a du mal à objectiver ce qui fait corps avec nous. La certitude de cette difficulté, la conscience des obstacles qui nous tiennent à l'écart de l'art abstrait, nous ont poussés à prendre appui sur la science, à demander l'aide de la psychologie de la Gestalt. Mais la direction qui mène vers l'art abstrait, une fois reconnue, une mise en garde s'impose.

L'ART À L'OPPOSÉ DE LA SCIENCE. Malgré leur marche parallèle vers un état abstrait, malgré le temps qui les unit, l'art et la science n'ont pas cessé de faire preuve de l'opposition essentielle qui existe entre eux depuis toujours et pour toujours. Plus leurs accomplissements sont allés loin, plus ils se sont retranchés, dressés même l'un contre l'autre, l'art ayant fini par remédier aux excès de la science. De cela aussi l'art abstrait témoigne. Son évo-

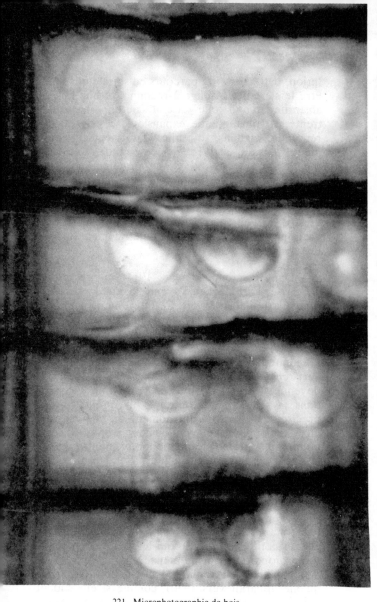

221. Microphotographie de bois.

lution, cette sorte de parcours en spirale qui semble
être le sien, nous oblige à reconnaître que la forme
abstraite quand elle atteint, autour des années
trente, sa plus grande expansion, se vide et, pour
reprendre vigueur, se replie. D'où vient cet épuise-
ment, puisque arrivée à sa plénitude, une forme
d'expression se maintient, en principe, un certain
temps avant de se dissoudre. Que signifie ce repli?

   La question mérite notre attention : elle nous
place devant la différence entre art et science à
l'égard de l'abstraction là où l'action spécifique de
l'art apparaît et aussi celle, diamétralement opposée,
de la science.

   Dans le monde d'avant 1914, encore rattaché
au passé, l'art dégage l'avenir lorsqu'il pressent le
pouvoir de l'abstraction. Ce qui le nourrit c'est cet
état de pressentiment; c'est l'attrait d'un aspect
nouveau de la forme en train de naître. Puis, lorsque
l'abstraction n'est plus un sentier conduisant vers
l'inconnu, mais une voie plane, grande ouverte,
l'art rebrousse chemin. L'abstraction poussée à bout,
devenue système, n'a plus de sens en art. Alors que
dans la science, au contraire, elle prend son sens
précisément à partir du moment où elle est érigée
en système, puisqu'elle donne lieu au progrès. L'antinomie ainsi éclate : le même mouvement qui exalte
la science, tue l'art. Et quand l'avenir pressenti par
l'art abstrait, modelé par le progrès scientifique,
transforme à grands traits la vie, précipite l'homme
dans l'abstraction, menace de le couper de son
sol, à l'endroit même où – triomphe de la science –
l'abstraction instaure son empire, l'art abstrait réa-
gissant contre la gratuité qui le guette, se recueille,
s'approfondit. La forme menacée d'être stéréotypée
à force de s'en tenir à l'abstraction pure (telle
qu'elle apparaît vers 1930), comme si elle s'identi-
fiait à l'homme pareillement menacé à son insu, ne

tarde pas à devenir un refuge pour la sensibilité, refuge de plus en plus secret, de plus en plus intime et qui est l'antidote nécessaire pour combattre la puissance desséchante de l'abstraction. Ainsi voit-on l'art s'allier à l'homme contre le nivellement dû au progrès scientifique et jouer aujourd'hui, sous le signe de l'abstraction, son rôle de toujours qui est celui de garantir à l'être humain un périmètre de survie.

Postface

Ce livre a été écrit entre 1964 et 1966. Mon propos ici n'est pas d'ajouter des renseignements sur le développement ultérieur de l'art abstrait — même exhaustifs ils ne seraient rien de plus qu'un appendice — mais de fixer l'émergence, survenue depuis, de quelques nouveaux apports liés à la démarche abstraite. Autrement dit, de mettre en perspective le livre entier.

Il a été écrit — les dates le montrent assez — au moment où le pop'art s'est imposé à l'attention, puis très rapidement a occupé la place de premier plan qui avait été, depuis 1945, celle de l'art abstrait. Si le fait marquant a été le retour net à la figuration, dans l'ébranlement esthétique que le pop'art a provoqué, un phénomène plus profond s'est produit qui a pris l'aspect d'un décloisonnement de l'art en tant que tel. Aussi bien des tendances nouvelles ont-elles surgi — telles les diverses branches de l'art conceptuel — qui appartiennent, certes, au domaine de l'abstraction, mais comme elles refusent la forme au nom du concept (bien ou mal visé), elles appellent moins une analyse directe qu'une réflexion sur la transgression des limites plastiques de l'art — problème que nous n'allons pas aborder ici. En revanche, il sera question des prolongements que l'art abstrait a connus à travers le minimal art dans les années soixante. Par ailleurs, ces derniers temps, la connaissance que nous avions de l'activité de Malévitch s'est considérablement élargie, si bien que les quelques pages qui suivent vont s'articuler autour d'un point que l'on pourrait appeler « l'art abstrait à la recherche de ses limites », limites qui sont, en fait, celles de l'expression plastique elle-même.

Malévitch aujourd'hui

Si la figure de Malévitch se dessine aujourd'hui mieux qu'il y a quinze ans, cela est dû à la publication, en anglais et en français, de presque tous ses écrits, y compris quelques lettres particulièrement intéressantes[1]. Cet ensemble de documents s'est ajouté au seul texte connu naguère, *Die gegenstandslose Welt* (Le monde sans objet) dont il existait une édition allemande à laquelle nous nous étions référés. Certes, en ce texte majeur l'envergure de Malévitch théoricien de l'art abstrait apparaissait déjà avec clarté, mais étant donné que *Die gegenstandslose Welt* se présente comme une somme, les mouvements successifs de la pensée de Malévitch restaient dans l'ombre et l'arrivée abrupte, dans son œuvre, du *Carré noir sur fond blanc* puis du *Carré blanc sur fond blanc* faisait problème. Cette abstraction radicale, surgie d'emblée, différente en tout de la progressive démarche d'un Mondrian ou d'un Kandinsky, ne pouvait aboutir qu'à des questions (ici même, p. 130) : « D'où viennent les tableaux abstraits de Malévitch ? Aussi inattendus qu'ils soient, ils ont des racines. Mais lesquelles ? » Pour toute réponse nous n'avions d'autre recours que la lecture formelle des tableaux conservés en Occident, suffisamment nombreux pour permettre de retracer l'évolution de Malévitch pendant les années décisives de sa carrière (1908-1918). Cette lecture reste valable. Les quelques tableaux de cette période que nous avons pu voir depuis ne l'incriminent pas, pas plus que la certitude, aujourd'hui acquise, que Malévitch avait antidaté certaines de ses œuvres (dont il sera question plus loin). La partie inconnue de sa peinture que les récentes expositions ont révélée est celle de la fin de sa vie, marquée par un retour à la figuration, une tragique figuration, mais là n'est pas notre propos. L'important pour nous sont les textes de Malévitch à présent accessibles. Seule leur lecture approfondit et complète la lecture formelle des œuvres. Si l'abstraction radicale de Malévitch s'éclaire, du même coup elle nous renseigne sur ce que nous avions appelé « un aspect Dada avant la lettre » (p. 129), sensible dans son œuvre. L'ayant repéré, nous étions loin de supposer qu'il pouvait y avoir un lien entre cet aspect Dada et l'abstraction. En l'absence de documents, notre jugement restait dans les cadres de l'optique occidentale des années dix, sans que nous puissions nous rendre compte que celle-ci faisait écran, nous empêchant de voir ce qui s'était réellement passé au sein de l'avant-garde russe, notamment dans le cas de Malévitch. Un fait capital nous échappait, à savoir les rapports étroits entre l'expression plastique et l'expression verbale qui ont donné naissance, en ces années-là, au formalisme dont la linguistique structurale est un prolongement direct. Roman Jakobson, étudiant à la Faculté de Moscou, était lié aux milieux de l'avant-garde et, soit dit en passant, le voyage supposé de Malévitch que nous mentionnons p. 122 et qui n'était, en fait, qu'un projet formé en 1914 et compromis à cause de la guerre, s'il s'était réalisé, c'est le jeune Jakobson qui aurait accompagné le peintre pour lui servir d'interprète. Cette face de l'avant-garde russe, précisément parce qu'elle n'a pas d'équivalent en Occident, constitue pour nous une découverte, d'autant plus nécessaire qu'elle ouvre la voie à la compréhension du travail de Malévitch. Bien des malentendus se dissipent, et l'énigme de l'importance qu'attache Malévitch au spectacle *Victoire sur le soleil*[2] au point de considérer sa date (décembre 1913, voir ici même, p. 143-144) comme celle de l'avènement du Suprématisme, enfin s'explique.

C'est au cours de la préparation de cet opéra, en effet, que l'expérience d'une expression poétique nouvelle, le *zaoum* ou langue transmentale, dans laquelle A. Krout-chonykh a conçu le livret[2], croise la propre expérience de Malévitch. Les conditions sont on ne peut plus propi-

ces : chargé d'exécuter les décors de l'opéra, Malévitch,
dont le travail s'inscrit déjà dans la lignée cubiste, aborde
pour la première fois un domaine, celui du décor,
susceptible de se passer de référent ; en même temps il
est confronté au texte de l'opéra où la langue a été mise
en éclats moyennant des mots tronqués ou inventés de
toutes pièces à partir de consonances subverties, accolées
à des préfixes ou à des suffixes suivant des rappels
morphologiques, bref il est confronté à une langue transmentale qui ne joue plus que sur l'inconscient sollicité
par une masse sonore, une langue qui *fait abstraction* du
sens convenu. Or, cette expérience linguistique, si elle
avait eu pour point de départ le rejet de la ponctuation et
de la syntaxe, préconisé par Marinetti, au fil de la
réflexion sur le matériau expressif, avait elle-même pris
pour modèle le cubisme français (il n'y avait pas un seul
tableau futuriste en Russie) et avait procédé par analogie
en faisant éclater le mot tout comme les cubistes avaient
fait éclater l'objet peint. De nombreux documents, accessibles aujourd'hui, en particulier les livres d'artistes à
petit tirage publiés à l'époque, nous renseignent sur cet
étrange phénomène de « contamination picturale »
exclusivement russe qui s'était produit au niveau de la
langue dans les textes *zaoum* (intraduisibles par excellence)[3]. On comprend aisément qu'un peintre cubiste,
en l'occurrence Malévitch, ait été sensible plus que tout
autre à l'enjeu zaoum, d'autant plus que le travail en
commun avec Kroutchonykh et Matiouchine, auteur de
la musique pour *Victoire sur le soleil*, s'était déroulé dans
une atmosphère survoltée d'échanges d'idées. Une lettre
de Matiouchine[4] nous apprend que lui-même et Malévitch avaient alors compris ce qu'était le « zaoum considéré comme incompréhensible ». En fait ce que la langue
zaoum détruit en même temps que le sens convenu, c'est
son fondement logique. Et c'est cette rupture qu'elle
exprime. D'où l'apparition dans la peinture de Malévitch, dès 1913, d'une rupture analogue qui revêt, certes,
un aspect Dada avant la lettre. Lui qui avait clairement

saisi la fragmentation cubiste de l'objet et le nouveau rapport spatial ainsi institué, franchit alors une étape. L'inscription au dos d'un de ses tableaux (relevée ici p. 129) qui porte le titre *Le Violon et la Vache* indique bien le caractère sémantique du tournant pris alors par sa peinture : « La collision alogique de deux formes, le violon et la vache, illustre le moment de lutte entre la logique, la loi naturelle, le bon sens et les préjugés bourgeois. » Ainsi débute la période de son œuvre dite alogique et qui précède immédiatement le Suprématisme. Par conséquent, la date 1911 qui accompagne l'inscription au dos du tableau est fausse, et c'est sans doute ce décalage de deux ans, dû à la volonté de Malévitch d'effacer toute trace d'influence, qui l'a obligé à antidater ses tableaux antérieurs, mais pas les tableaux postérieurs à 1913 où il s'attache, jusqu'aux environs de 1915, à briser le sens de l'objet peint. Pendant ces années, il se maintient donc dans le droit fil du zaoum et la réflexion qui a débuté pour lui avec *Victoire sur le soleil* progresse. D'ailleurs, Kroutchonykh, l'auteur du livret, peu de temps avant le spectacle, avait publié, sous sa signature jointe à celle du poète Khlebnikov, une plaquette intitulée *Le mot en tant que tel* où une justification théorique du zaoum avait été tentée. Ce petit texte qui représente déjà une ébauche du formalisme russe a fourni à Malévitch le modèle d'une démarche de pensée qui non seulement a fini par fonder sa conception de la peinture abstraite, mais l'a rendue radicale. Radicale, pour nous, d'emblée alors qu'elle était en gestation pendant toute la période alogique. Une lettre de Malévitch, récemment publiée[5], permet d'en suivre le cheminement qui procède avec une cohérence théorique sans faille : si la destruction du sens pratiquée dans le zaoum correspond à la destruction sémantique de l'objet peint, il y a donc oblitération du référent. Or, la peinture sans référent devient abstraite. Mais alors à quoi correspond-elle ? En d'autres termes, qu'est-ce qui reste quand on a abandonné le monde des objets ? La réponse que Malévitch

formule montre bien qu'il a dépassé Kroutchonykh. Le
« mot comme tel » dit-il, et il entend le mot forgé par le
zaoum, n'est pas encore « complètement libéré parce
qu'il demeure mot ». Il faut aller au-delà, jusqu'au son,
et quand il écrit « son » il ajoute qu'il ne s'agit pas de
musique. La nécessité d'une réduction aux unités mini-
males ne fait pas de doute pour Malévitch. Pour se
passer de l'objet, pour atteindre le niveau où la parole
serait son, la peinture devrait être ramenée à la couleur
seule. D'une manière évidente Malévitch aspire à mettre
à nu le signifiant pour rendre sensible le signifié de la
forme abstraite. D'où ses déclarations telles que « la
couleur est le créateur de l'espace », mais aussi le choix
du noir et du blanc pour son tout premier tableau
abstrait. Parti de la langue poétique en vue d'une peinture sans objets, en choisissant le noir et le blanc, il
désigne ce qu'il faut bien appeler le niveau phonémati-
que de la peinture[6]. C'est là qu'il a fini par situer le
tableau abstrait, et il faut reconnaître qu'il ne peut pas y
avoir de position plus radicale ni de cheminement plus
résolu, surtout lorsque le *Carré blanc sur fond blanc*
succède, trois ans plus tard, au *Carré noir sur fond blanc*.
Quand on voit l'enchaînement d'une telle évolution on
conçoit aisément que Malévitch fixe à 1913 les débuts du
Suprématisme. On comprend aussi ce qui sous-tend la
métaphore que l'on rencontre au commencement de son
tout premier texte théorique *Du Cubisme et du Futurisme au Suprématisme*, paru en 1916[7] : « Je me
suis transfiguré dans le zéro de la forme » — le zéro,
signe de la réduction minimale. Le rien devenu suprématie.

Il est certain que la singulière démarche de Malévitch
qui parvient à l'abstraction par le biais d'une réflexion
sur la langue pose en soi un problème dont on commence à peine à mesurer la portée. Quant à nous, ayant
acquis la conviction, lors de la rédaction de ce livre, que
le *Carré blanc sur fond blanc* ne donne aucune prise à
l'habituelle approche esthétique, nous avons voulu inter-

roger le blanc en tant que couleur et, pour ce faire, nous avons eu recours au modèle linguistique. A notre insu — car au moment où nous avons entrepris cette analyse (1974)[8], les lettres de Malévitch qui révèlent sa démarche n'étaient pas encore publiées — nous avions refait son chemin en sens inverse en mettant à profit les apports de la linguistique moderne. A partir des traits distinctifs définis par Jakobson et en projetant sur la gamme chromatique la dichotomie voyelles/consonnes, fondamentale sur la langue, il a été possible de cerner le caractère particulier du noir et du blanc à l'intérieur de la gamme chromatique où ces couleurs forment la base consonantique et sont, de ce fait, appelées à jouer un rôle complètement différent des couleurs proprement dites (le rouge, le bleu et le jaune) qui forment, elles, la base vocalique. Si au terme de notre analyse le *Carré blanc sur fond blanc* a pu être désigné comme une reconversion de l'espace peint en lumière, c'est-à-dire en énergie pure, du même coup il est apparu que la structure des couleurs dans la peinture et celle des sons de la langue obéissent aux mêmes lois — hypothèse d'une importance considérable pour les sciences humaines, mais qui attendait une confirmation. L'aurait-elle eue sans le fil conducteur que la peinture de Malévitch nous a fourni ? Je ne pense pas. C'est dire la portée de son intuition.

Le minimal art

Deux expositions, « The responsive eye » organisée au Musée d'Art moderne de New York en 1965 et « Primary structures » présentée en 1966 au Jewish Museum toujours à New York, ont attiré l'attention sur un aspect essentiellement américain de l'art abstrait, le minimal art (ou minimalisme) qui a connu une audience internationale aussitôt après le pop'art. Un mot de Mies Van der Rohe, valable pour lui dans l'architecture, « Less is more » (moins c'est plus) a été souvent répété à propos de cette tendance abstraite caractérisée par la réduction délibérée des moyens d'expression jointe au refus de toute inflexion subjective. Les titres des deux expositions citées explicitent d'ailleurs la visée du minimal art : d'une part « The responsive eye », c'est-à-dire « l'œil qui répond » à un appel chromatique par des réactions perceptives très fortes et, d'autre part, « Primary structures », c'est-à-dire la forme ramenée à ses « structures élémentaires ». A son point culminant le minimalisme aboutit ainsi d'une part à la monochromie et, d'autre part, à la ligne droite ou à l'angle droit, en sculpture. En même temps des volontés théoriques accompagnent cet art-limite qui s'inscrit d'une manière évidente dans la descendance de Malévitch. Son nom pourtant n'a jamais été évoqué par les artistes américains. Leurs ambitions, leurs théories prennent racine ailleurs. Ce qui les motive est le désir d'adéquation à une réalité différente du modèle proposé par l'Europe. Déjà la peinture de Pollock reposait sur une prise de conscience qui avait rejeté les valeurs esthétiques du passé, et il est certain que, d'écart en écart, avec le minimalisme l'art américain a abouti à une identité distincte de celle de l'art européen. Une autre échelle a surgi dans la peinture, de nouvelles techniques ont apparu, de nouvelles propositions théoriques ont été, tant bien que mal, tentées. La figure qui illustre le mieux ce moment de l'art américain est sans conteste Barnett Newman (1905-1970). A la fois peintre, sculpteur et théoricien il a obstinément rêvé à un retour aux origines, le primordial étant pour lui l'inséparable fondement du « sublime » et l'expression du sublime étant le vrai but de l'art. Ses nombreux écrits et déclarations tournent autour de ce point central, manifestement romantique, mais en même temps il s'insurge contre le beau, associé toujours à l'art, si bien que dès qu'il passe de la théorie à la pratique son attitude s'inverse et devient antiromantique. Aucun épanchement dans ses immenses toiles monochromes, fendues aux extrémités par une bande verticale réservée dans la surface peinte à l'aide de caches. D'un geste de plus en plus neutre Newman fait jouer l'impact de la masse colorée. Cependant, à travers les titres de ses tableaux, il cherche une symbolisation (de caractère religieux souvent). Et c'est là qu'un hiatus se produit, car le titre reste extérieur à la peinture, plaqué dessus, sans rapport avec le contenu de la surface peinte qui porte en elle ses valeurs sémantiques susceptibles d'être reconnues uniquement par la voie d'une analyse appropriée des tableaux. Dans le minimal art nous sommes loin de la cohérence théorique d'un Malévitch. Même si la critique américaine a beaucoup insisté sur le fond symbolique de la peinture de Newman[9], son principal mérite, à notre sens, est d'avoir fait ressortir la toute-puissance de la couleur, de l'avoir, d'une certaine façon, posée comme finalité. Une peinture de Newman représente, en effet, un espace totalisant — ce qui n'est pas le cas de quelques autres tentatives, à première vue, semblables. En France Yves Klein (1928-1962) avec ses tableaux monochromes bleus, aux États-Unis Ad Reinhardt (1913-1967) avec ses tableaux noirs, ne sont pas comparables à Newman. Leurs tableaux n'agissent que parce qu'ils sont perçus en même temps que le mur qui les entoure. C'est de cette articulation avec l'environnement qu'ils tirent leur sens — comme les objets décoratifs. Travailler aux limites de la peinture n'est pas aisé. Neutraliser à l'extrême le geste de peindre (à la manière d'Yves Klein) cela signifie ramener le tableau au niveau d'une quelconque surface peinte. Faire intervenir massivement le noir (à la manière d'Ad Reinhardt) cela signifie affaiblir l'action de la peinture en l'entraînant là où les perceptions visuelles sont les plus faibles. (A l'inverse du blanc, le noir est la limite où le visible s'évanouit.) Il faut prendre conscience de ces dangers implicites de la démarche minimaliste pour mesurer les difficultés que Newman a surmontées, d'autant plus que l'on doit envisager son travail à partir des solutions plastiques qu'il a, au fur et à mesure, retenues

sans tomber dans le piège de ses écrits. Le développement de son œuvre possède, en effet, une logique que le
discours de l'universitaire (il était Bachelor of Arts) ne
reflète guère.

Aussitôt après 1945 Newman se passionne pour l'art
primitif, cherche à définir la mentalité de l'homme
primitif (« Le premier homme est un artiste » est sa
célèbre formule), organise deux expositions d'art primitif
à la galerie Betty Parsons, à New York, et parallèlement
que fait-il ? Il interroge le format d'une surface colorée :
il peint des rectangles extrêmement allongés qu'il présente verticalement. Leur hauteur étant vingt et même
trente fois supérieure à leur largeur (5 ou 10 cm sur un
mètre et plus), ils prennent l'aspect de bandes verticales.
Et c'est à partir de ces toiles, conçues en 1948-1950, que
son travail s'organise. D'une manière superficielle on
peut se contenter de constater que ces bandes reviennent
sur les marges de ses grands tableaux ultérieurs en tant
que ruptures de la surface peinte. Mais la signification de
ce qu'il a entrepris en les concevant est bien plus
profonde. Avec ces minces et longues toiles il avait
fortement sollicité les deux directions perceptives fondamentales, le haut et le bas, au détriment des deux autres,
c'est-à-dire la gauche et la droite. Il avait ainsi brisé le
champ perceptif traditionnel, car il ne faut pas oublier
que les formats de la peinture de chevalet sont établis,
par tradition, d'après une proportion stable entre la
hauteur et la largeur garantissant un équilibre entre les
directions fondamentales, la verticale et l'horizontale, de
sorte que le haut et le bas, la gauche et la droite soient
maintenus au centre de la perception visuelle quelles que
soient les dimensions de la surface offerte au regard.
C'est une règle codée depuis la Renaissance. Il suffit de
rappeler les traités de L.B. Alberti et de Luca Pacioli.
Or, Barnett Newman fait entrer en jeu les marges du
champ perceptif, tenues jusque-là à l'écart de la surface
peinte. C'est en cela que consiste la nouveauté du
minimal art et c'est bien de cela qu'il parle lui-même

quand il insiste sur le mot « échelle » (scale), à ne pas confondre, dit-il, avec la dimension ou encore quand il emploie l'expression « format pur » (sheer size). Jamais cependant il n'a formulé en termes clairs ce que ses tableaux attestent de la manière la plus évidente. Si donc à un premier moment il a pris conscience de l'action de la bande verticale (qu'il appelle « fermeture Éclair », zip), il n'a pas tardé à interroger le déploiement horizontal de la surface peinte, et là aussi il a franchi les limites du champ perceptif traditionnel. En combinant ces transgressions il a jeté les bases de sa peinture. Mais alors que la bande verticale n'est restée dans ses tableaux qu'un simple signe de la sollicitation haut/bas, signe de rupture par excellence puisqu'il s'agit de la rupture du champ perceptif traditionnel, l'étendue horizontale a été confiée à la couleur dont le déploiement monochrome au-delà du champ perceptif habituel produit, aux yeux de celui qui regarde, parce que l'œil humain est ainsi structuré et parce que le regard est tributaire d'un long passé, une sensation totalisante que le mot toute-puissance traduit bien. De la toute-puissance dite en termes de peinture à l'image du Tout-Puissant qu'il a souvent désignée comme sujet de ses tableaux, peut-être dans son esprit n'y avait-il qu'un pas...

Dans le domaine de la sculpture le minimal art pose des problèmes différents. D'une façon générale, toute redondance plastique est rejetée, mais de là à savoir si la simplification extrême qui s'ensuit confère aux formes une puissance nouvelle, la question demeure, et la réponse, en ce qui nous concerne, serait plutôt négative. Encore une fois Newman, quoiqu'il ait réalisé relativement peu de sculptures, est celui qui est allé le plus loin. A côté d'un Carl André (né en 1935) ou d'un Donald Judd (né en 1928) qui combinent cubes et rectangles destinés parfois à créer des environnements — et un environnement, cela va de soi, n'est autre que la recherche d'un pouvoir plastique totalisant, à côté d'un Tony Smith (né en 1912) qui opte pour des volumes décentrés, Newman fait figure de chef de file, tout comme dans la peinture il a une autre envergure comparé à Franck Stella (né en 1936) qui dérègle la symétrie des formats traditionnels ou à Morris Louis (1912-1962) qui aligne des stries de couleurs acryliques sur toile non préparée ou encore à Kenneth Noland (né en 1924) qui peint des formes géométriques élémentaires.

Tout au début Newman suit dans sa sculpture un chemin parallèle à celui de sa peinture, en ce sens qu'il conçoit des sculptures minces et longues comme les bandes verticales. Ce n'est que plus tard, dans les années soixante, quand il a déjà développé sa peinture, qu'il touche au problème de la sculpture en y apportant des solutions d'une originalité certaine. La pièce maîtresse est l'*Obélisque brisé* (1963-1967). Placée aujourd'hui sur un plan d'eau devant la chapelle décorée par Rothko à l'Institute of Religion and Human Development à Houston, dans le Texas, elle est constituée, à la base, par une pyramide dont la pointe touche la pointe de l'obélisque qui la surmonte, celui-ci étant posé la pointe en bas, la base, brisée, en haut. Dans cette œuvre la façon dont Newman s'attaque aux fondements plastiques pour les rendre perceptibles apparaît clairement. Puisque le principe qui régit la sculpture est la force de gravité[10], il lance ici un défi en faisant appuyer sur un point infime toute la masse verticale. Sans compter qu'un renversement de la direction haut/bas est opéré et que la base de l'obélisque est doublement remise en question, une fois au niveau de la forme — *on voit* qu'elle est brisée, et une fois au niveau de la signification — *on ne conçoit pas* une base en haut. Faut-il insister davantage sur les analogies entre la peinture et la sculpture de Newman ? Sa logique en est une. Grâce à lui le minimal art représente réellement un pas de plus, le dernier pas en date de la démarche abstraite qui a débuté avec le siècle.

Mais de cette nouvelle orientation minimaliste, reprise à présent en Europe sur un mode européen, nous ne saurons parler d'une manière valable que lorsque nous aurons accepté que l'art est un langage et que nous aurons soumis ses structures à une analyse adéquate. Le travail de Malévitch a déjà permis d'ouvrir une première brèche. Nul doute que, dans ce sens-là, le minimal art soit tout aussi révélateur.

Avril 1980

Notes de la postface

1. K.S. Malévitch. *Essays on art.* Unpublished writings edited by T. Andersen. Éditions Borgen, Copenhague 1968-1978. Quatre volumes : vol. I Essays on art 1915-1928 ; vol. II Essays on art 1928-1933 ; vol. III The world of non objectivity, unpublished writings 1922-1925 ; vol. IV The artist, infinity, Suprematism, unpublished writings 1913-1933.

K. Malévitch. *De Cézanne au Suprématisme.* Tous les traités parus de 1915 à 1922. Premier tome des écrits. Traduits et annotés par V. et J.-C. Marcadé, avec la collaboration de V. Schiltz. Éditions L'Age d'Homme, Lausanne 1974.

K. Malévitch. *Le Miroir suprématiste.* Tous les articles parus en Russie de 1913 à 1928 avec des documents sur le Suprématisme. Deuxième tome des écrits. Traduits par V. et J.-C. Marcadé, préfacés par E. Martineau. Éditions L'Age d'Homme, Lausanne 1977.

Malévitch. *Suprématisme. 34 dessins.* Édition en fac-similé avec une préface de J.-C. Marcadé et une traduction française en postface par V. et J.-C. Marcadé. Éditions du Chêne, Paris 1974.

Malévitch. *Écrits.* Traduits par A. Robel-Chicurel. Présentés par A.B. Nakov. Éditions Champ libre, Paris 1975.

Lettres de Malévitch à Matiouchine (1913-1916) in *Actes du Colloque International sur Malévitch*, Centre Pompidou, Paris mai 1978. Éditions L'Age d'Homme, Lausanne 1979.

2. *La Victoire sur le soleil*, opéra de A. Kroutchonykh, musique de M. Matiouchine. Traduction française, notes et postface par V. et J.-C. Marcadé. Édition bilingue. L'Age d'Homme, Lausanne 1976.

3. D. Vallier. « L'avant-garde russe et le livre éclaté » (Les deux éditions de « Vzorval », Saint-Pétersbourg 1913 et 1914) » in *La Revue de l'Art* (Paris), n. 44, 1979.

4. Cf. D. Vallier, « Postface aux lettres de Malévitch » in *Actes du Colloque Malévitch*, cité, p. 193.

5. *Ibid,* p. 183-186.

6. E. Kovtoune nous apprend que Malévitch avait organisé une section de phonologie à l'Institut d'État de la Culture artistique qu'il a dirigé de 1923 à 1926. Cf. *Actes du Colloque Malévitch*, cité, p. 188, note 30.

7. La première édition avait paru à la fin de 1915. La deuxième édition considérablement augmentée avait paru en 1916.

8. D. Vallier. « Malévitch et le modèle linguistique en peinture » in *Critique* (Paris), n. 334, mars 1975.

9. Voir le catalogue de l'exposition de Barnett Newman au Grand Palais, Paris 1972, où figure en préface une importante étude de Thomas B. Hess publiée précédemment par le Museum of Modern Art de New York (1971). Pour l'atmosphère générale cf. D. Ashton : *The New York School, a cultural reckoning,* The Viking Press, New York 1972.

H. Rosenberg. *Barnett Newman,* Éditions Abrams, New York 1978.

10. Cf. D. Vallier, « Pour une définition de l'espace dans l'art » in *Critique* (Paris), n. 366, novembre 1977.

Chronologie comparée

1866   Naissance de Kandinsky.
     1867   Naissance de Bonnard et de Nolde.
     1869   Naissance de Matisse.
1871   Naissance de Kupka.
1872   Naissance de Mondrian.
     1874   Première Exposition des Impressionnistes à Paris.
     1875   Naissance de Jacques Villon.
1878   Naissance de Malévitch.
     1879   Naissance de Klee.
     1881   Naissance de Picasso, de Léger, de Larionov et de Gontcharova.
     1882   Naissance de Braque.
1884   Naissance de Pevsner et de Bissière.
1885   Naissance de Delaunay et de Tatline.
     1886   Seurat expose « La Grande Jatte » au Salon des Indépendants.
1887   Naissance de Jean Arp, de Kurt Schwitters et de Marcel Duchamp.
1889   Naissance de Willi Baumeister.
     1889   Exposition Universelle à Paris, inauguration de la Tour Eiffel.
     Bergson publie « Les données immédiates de la conscience ».
1890   Naissance de Gabo, de Tobey et de Lissitzky.
     1890   Mort de Van Gogh.
1891   Naissance de Rodchenko.
     1891   Mort de Seurat.
     Gauguin à Tahiti.
     Exposition rétrospective de Van Gogh au Salon des Indépendants.
1893   Naissance de Julius Bissier.
     1895   Exposition des Impressionnistes à Moscou.
     Exposition de Cézanne chez Vollard.
     1897   Fondation de la Sécession à Vienne : Président Gustav Klimt.
     1899   Fondation de la Sécession à Berlin : Président Max Liebermann.
     1900   Gaudi construit le « Labyrinthe » du Parc Grüell à Barcelone.

    Plein épanouissement du Jugendstil à Munich.

    Planck publie « La théorie des quanta ».

1901   *Rétrospective de Van Gogh à la Galerie Bernheim à Paris.*

1902   *Création de « Pelléas et Mélisande » de Debussy.*

1903   *Mort de Gauguin et de Pissarro.*

    Naissance de Rothko.

1904   *Exposition de Cézanne chez Cassirer à Berlin.*

    Naissance de Hartung.

    Exposition de Cézanne, Van Gogh, Gauguin à Munich.

1905   *Fondation de la « Brucke » à Dresde.*

    Les Fauves exposent au Salon d'Automne.

    Einstein publie la « Théorie de la relativité restreinte ».

1906   *Rétrospective de Gauguin au Salon d'Automne.*

    Naissance de Poliakoff.

1907   Worringer écrit « Abstraktion und Einfühlung ».

    1907   *Exposition de Matisse chez Cassirer à Berlin.*

           Rétrospective de Cézanne au Salon d'Automne.

           Picasso termine « Les Demoiselles d'Avignon ».

    1908   *Braque expose ses paysages cubistes chez Kahnweiler à Paris.*

           Matisse publie ses « Notes d'un peintre » dans la « Grande Revue ».

           Brancusi achève « Le baiser ».

           Naissance de Vieira da Silva.

1909   Kandinsky publie ses premiers textes sur l'art dans la revue russe « Apollon ».

    Le Manifeste futuriste paraît à Paris dans « Le Figaro ».

    Diaghilev crée les Ballets Russes.

    Les Cubistes exposent au Salon d'Automne.

1910   Kandinsky peint sa première aquarelle abstraite; une première ébauche du « Spirituel dans l'art » paraît en russe, sous le titre « Contenu et forme » dans le Catalogue du Deuxième Salon International d'Odessa.

    1910   *Picasso peint le « Portrait d'Ambroise Vollard ».*

           Fondation à Berlin de la Galerie et de la revue « Der Sturm » dirigées par H. Walden.

           Création de « L'oiseau de feu » de Stravinsky par les Ballets Russes.

           Webern écrit Orchesterstücke, opus 6.

1911   Kandinsky et Franz Marc fondent le « Blaue Reiter » et préparent l'exposition du même nom qui aura lieu à Munich à la fin de l'année.

1911   Mondrian arrive à Paris.

1911   Braque peint « Le portugais ».

La Salle cubiste fait scandale au Salon des Indépendants.

Fondation de la revue « Soirées de Paris ».

A Rome, première exposition de peinture et de sculpture futuristes.

1911   Malévitch subit l'influence du Futurisme.

Malévitch, Tatline, Gontcharova participent à l'Exposition de l'Union de la Jeunesse à Saint-Pétersbourg.

1911   Exposition organisée par le « Monde de l'Art » à Saint-Pétersbourg.

Création de « Pétrouchka » de Stravinsky par les Ballets Russes.

Schönberg écrit sa « Harmonielehre ».

En décembre 1911 paraît « Du spirituel dans l'art » de Kandinsky aux Éditions Piper de Munich. L'achevé d'imprimer porte l'indication : janvier 1912.

1912   Delaunay peint ses « Fenêtres » et ses premières « Formes circulaires ».

Kupka expose au Salon des Indépendants ses premières œuvres abstraites.

Larionov peint ses premières œuvres rayonnistes abstraites.

Kandinsky expose ses œuvres de 1901 à 1912 à la Galerie « Der Sturm » à Berlin.

1912   La deuxième édition du « Spirituel dans l'art » paraît à Munich en avril et la troisième en décembre.

Gleizes et Metzinger publient « Du Cubisme ».

L'Almanach du « Blaue Reiter » paraît à Munich.

La première exposition futuriste à Paris est organisée à la Galerie Bernheim-Jeune, avant d'être présentée à Londres, Berlin, Amsterdam, Vienne, etc.

L'exposition de la « Section d'Or » a lieu à la Galerie La Boétie à Paris.

Deuxième exposition du « Blaue Reiter » à Munich.

Exposition internationale du Sonderbund à Cologne.

Deuxième exposition post-impressionniste organisée par Roger Fry à la Grafton Gallery à Londres.

Naissance de Jackson Pollock.

1913   Malévitch peint son « Carré noir sur fond blanc » et exécute les décors et les costumes pour le mélodrame « Victoire sur le soleil ».

Mondrian peint la série des « Arbres ».

Tatline vient à Paris et rencontre Picasso.

Le Manifeste Rayoniste paraît à Moscou et l'exposition « La

Cible » groupe les œuvres rayonnistes de Larionov et de Gontcharova.

Kandinsky publie « Klänge » (Sonorités), recueil de poèmes illustrés de bois gravés, ainsi que « Regard sur le passé ».

1913   Exposition de Delaunay à la Galerie « Der Sturm » à Berlin.

> *Influencés par Delaunay, les Américains Morgan Russel et Macdonald Wright créent le Synchromisme.*
>
> *Première exposition des sculptures de Boccioni à la Galerie « La Boétie » à Paris.*
>
> *L'Armory Show a lieu à New York et à Chicago.*
>
> *Apollinaire publie « Les peintres cubistes ».*
>
> *Premiers papiers collés de Braque et de Picasso.*
>
> *Création du « Sacre du Printemps » de Stravinsky par les Ballets Russes.*

1914   Tatline réalise ses premiers contre-reliefs.

> *1914   Marcel Duchamp signe ses premiers « ready-made ».*
>
> *Boccioni publie à Milan « Pittura scultura futuriste ».*
>
> *Naissance de Nicolas de Staël.*

1915   Mondrian peint la série des « plus et moins ».

Premiers dessins abstraits de Rodchenko.

Malévitch envoie 36 œuvres suprématistes, dont le « Carré noir sur fond blanc », à l'Exposition « 0,10 » organisée à Pétrograd.

Van Doesburg rencontre Mondrian.

1916   Malévitch publie à Pétrograd « Du Cubisme et du Futurisme au Suprématisme ».

> *1916   Premières manifestations Dada à Zurich.*
>
> *Mort de Boccioni et de Franz Marc.*

1917   Fondation du groupe « De Stijl ». Le premier numéro paraît en octobre 1917 — le dernier en janvier 1932. Membres fondateurs : les peintres Van Doesburg, Van der Leck, Huszar, Mondrian, le sculpteur Vantongerloo, les architectes Oud, Wils, Van't Hoff et le poète Kok.

Tatline, Rodchenko et Yacoulov travaillent à la décoration de « Café pittoresque » à Moscou.

> *1917   Reprise des Ballets Russes. Création de « Parade » avec les décors et costumes de Picasso.*

1918   Malévitch expose ses tableaux « Blanc sur blanc » au Dixième Salon de l'Etat qui ouvre ses portes à Moscou au mois de décembre ; il est nommé professeur à l'École d'art de Vitebsk. Kandinsky, rentré en Russie, est nommé professeur aux Ateliers d'art de l'État, puis à l'Académie des Beaux-Arts de Moscou. Fondateur de l'Académie des Arts et des Sciences, il crée 22 musées de province.

Les membres fondateurs de la revue « De Stijl » publient leur
manifeste dans le numéro de novembre.

*1918   Ozenfant et Charles Jeanneret (Le Corbusier) publient
« Après le Cubisme » et organisent la première exposition
du Purisme.*

Mort d'Apollinaire.

1919   Première exposition rétrospective de Malévitch à Moscou :
153 œuvres exposées.

Mondrian revient à Paris après un séjour de cinq ans en Hollande.

Fondation du Bauhaus à Weimar.

1919   Manifestations Dada à Cologne et à Berlin.

Schwitters exécute ses premiers « Merzbild ».

Naissance de Soulages.

1920   Tatline envoie la maquette du « Monument de la IIIᵉ Internationale » à l'exposition organisée pour célébrer le Troisième
Congrès du Komintern.

Gabo et Pevsner publient le « Manifeste constructiviste ».

1920   Ozenfant et Le Corbusier fondent la revue « Esprit nouveau ».

1921   Gabo travaille à ses premières « Constructions cinétiques ».

*1921   Marcel Duchamp commence à New York son film abstrait
« Anemic Cinema ».*

1922   Exposition d'art abstrait russe à la galerie Damien à Berlin.

Premiers contacts de Lissitzky avec le Bauhaus.

Création de la collection de livres édités par le Bauhaus (Bauhausbücher), sous la direction de Moholy-Nagy.

Moholy-Nagy commence l'exécution d'une machine lumineuse
qu'il achèvera en 1930.

Le Polonais Henryk Berlewi élabore à Berlin sa théorie de la
Mécanofacture, sorte de fusion de l'art graphique et de la peinture abstraite.

Ilya Ehrenbourg et Lissitzky publient à Berlin la revue « Vescht,
Gegenstand, Objet ».

Présentation à Berlin du film abstrait de Viking Eggeling « La
Symphonie diagonale ».

Kandinsky, revenu en Allemagne, devient professeur au Bauhaus.

1922   Dissolution de Dada.

*Baumeister décore le Palais des Expositions de Stuttgart
avec des peintures murales en relief.*

Joyce publie « Ulysses ».

1923   Exposition « De Stijl » à Paris à la Galerie « L'effort moderne »
dirigée par Léonce Rosenberg.

Rodchenko utilise pour la première fois le photomontage pour
illustrer un poème de Maïakovsky.

1923   Tobey devient professeur à Seattle, sur le Pacifique.

Le Corbusier publie « Vers une architecture ».

1924   Schwitters commence la première construction Merz dans sa maison de Hanovre à laquelle il travaillera pendant dix ans. Léger réalise le film « Le Ballet mécanique ».

1924   André Breton publie le Manifeste du Surréalisme.

Kandinsky, Klee, Feiniger et Javlensky fondent le groupe « Les quatre bleus ».

Brancusi exécute « L'Œuf » ou « Le commencement du monde ».

1925   Le Bauhaus est transféré à Dessau.

Les écrits de Mondrian paraissent aux éditions du Bauhaus sous le titre « Neue Gestaltung ».

Exposition Internationale des Arts décoratifs à Paris.

1925   Arp et Lissitzky publient « Die Kunstismen » (Les ismes de l'art).

Calder donne les premières représentations de son « Cirque miniature ».

Tobey travaille à Paris.

Arp s'installe à Meudon.

Première exposition surréaliste à la Galerie Pierre à Paris.

1926   Arp, Sophie Taeuber-Arp et Van Doesburg commencent la décoration, achevée en 1928, du restaurant-dancing « L'Aubette » à Strasbourg (aujourd'hui détruite).

Kandinsky publie « Punkt und Linie zu Fläche » (Point, Ligne, Surface).

Van Doesburg publie le « Manifeste de l'Élémentarisme » (De Stijl, Nos 75-76).

Exposition internationale d'art abstrait à Zurich.

1927   Voyage de Malévitch en Pologne; séjour en Allemagne et retour en Union Soviétique. Une salle est consacrée à sa peinture à la Grosse Berliner Kunstaustellung. « Die Gegenstandslose Welt » (Le monde sans objet) paraît aux Éditions du Bauhaus.

Pevsner et Gabo exécutent le décor de « La Chatte » pour les Ballets Russes.

Joseph Albers conçoit ses études plastiques en papier dans le cadre de son enseignement au Bauhaus qui rattache l'esthétique abstraite à la production en série.

Hartung arrive à Paris.

1927   Klee expose pour la première fois à Paris.

Heidegger publie « Sein und Zeit ».

1929   Kandinsky expose pour la première fois à Paris à la Galerie Zack.

Exposition internationale de peinture et sculpture abstraites et surréalistes à la Kunsthaus de Zurich.

1929   Fondation du Museum of Modern Art de New York.

1930   Exposition du groupe « Cercle et Carré » organisée à Paris par Michel Seuphor et réunissant 46 artistes abstraits.

Van Doesburg crée la revue « Art concret ».

1930   Tobey se fixe en Angleterre où il restera jusqu'en 1937.

Premiers lavis à l'encre de Chine de Julius Bissier.

Calder travaille à ses premières « constructions » que Marcel Duchamp appellera « mobiles ».

1931   Fondation à Paris du groupe « Abstraction-Création ».

Mort de Van Doesburg.

1931   Deuxième Exposition Surréaliste à la Galerie Pierre à Paris.

1932   Le Bauhaus est transféré à Berlin.

1932   Importante rétrospective de Picasso à la Galerie Georges Petit à Paris.

1933   Fermeture du Bauhaus par les Nazis.

Tatline expose à Moscou la maquette et les dessins de son planeur « Létatline ».

1933   Importante rétrospective de Braque à la Kunsthalle de Bâle.

Création de la revue « Le Minotaure » d'inspiration surréaliste.

1934   Tobey part pour la Chine avec le céramiste anglais B. Leach; de là il se rend au Japon. Pendant deux mois il séjourne dans un monastère Zen de Kyoto.

Hans Hofmann ouvre à New York son école de peinture.

Kandinsky rencontre Delaunay et Mondrian.

1935   Tobey aboutit à « l'écriture blanche »; série des « Broadway ».

Mort de Malévitch.

1935   Marcel Duchamp achève la série des « Disques visuels » — compositions abstraites qui par un mouvement rotatoire donnent l'impression d'avoir trois dimensions.

1936   Le Museum of Modern Art de New York organise une grande exposition consacrée au Cubisme et à l'art abstrait.

Exposition de Kandinsky, Arp, Hartung, Hélion à la Galerie Pierre à Paris.

1936   Grande exposition internationale du Surréalisme à Londres.

1937   Moholy-Nagy ouvre à Chicago le New Bauhaus.

Delaunay exécute des reliefs peints et une peinture murale de 780 m² dans le cadre de l'Exposition Internationale de Paris.

Sophie Taeuber-Arp fonde la revue « Plastik » (1937-1939).

1937   Exposition Internationale de Paris. Au pavillon de la République espagnole figurent des œuvres de Gonzalès, Miró et « Guernica » de Picasso.

1938   Exposition d'Art abstrait au Stedelijk Museum à Amsterdam. Tobey revient à Seattle.

1938   Sartre publie « La nausée ».

1939   La première exposition Réalités Nouvelles a lieu à la Galerie Charpentier à Paris.

1940   Mondrian à New York commence la série des « Boogie-Woogie ».

1940   Mort de Klee.

1941   Les « Notes on Abstract Art » de Ben Nicholson paraissent dans la revue « Horizon ».

1941   Mort de Delaunay et de Lissitzky.

1942   Première exposition particulière de Mondrian à la Galerie Dudesing à New York.

1943   Première exposition de Jackson Pollock à New York à la Galerie Art of This Century dirigée par Peggy Guggenheim.

1943   Fondation à Paris du Salon de Mai.

Mort de Sophie Taeuber-Arp.

1944   Mort de Mondrian.

Mort de Kandinsky.

Exposition « Art concret » à Bâle.

Première exposition particulière de Tobey à la Galerie Marianne Villard à New York.

1944   Première exposition particulière de Motherwell à la Galerie Art of this Century à New York.

Exposition de Dubuffet, présentée par Jean Paulhan, à la Galerie Drouin à Paris.

Mort de Marinetti.

1945   Exposition « Art concret » à la Galerie Drouin à Paris, groupant Kandinsky, Mondrian, Delaunay, Arp, Herbin, Van Doesburg, Pevsner, Sophie Taeuber-Arp, Freundlich, Magnelli, Domela, Gorin.

Exposition des « Otages » de Fautrier, préface par André Malraux, à la Galerie Drouin à Paris.

Première exposition des peintures abstraites de Poliakoff à la Galerie « L'esquisse » à Paris.

Exposition des aquarelles de Wols à la Galerie Drouin à Paris.

Ouverture de la Galerie Denise René à Paris.

1945   Ouverture du Premier Salon de Mai.

1946   Premier Salon des Réalités Nouvelles.

Exposition de peinture abstraite à la Galerie Denise René à Paris, groupant Dewasne, Deyrolle, Marie Raymond, Hartung, Schneider.

Exposition de Domela, Hartung, Schneider à la Salle du Centre de Recherches à Paris.

Exposition de Vasarely à la Galerie Denise René à Paris.

Exposition d'Herbin à la Galerie Denise René à Paris.

1947 Première exposition particulière des peintures de Hartung à la Galerie Lydia Conti à Paris.

Exposition d'Atlan à la Galerie Maeght à Paris.

Première exposition des peintures de Wols à la Galerie Drouin à Paris.

Exposition « L'Imaginaire » à la Galerie du Luxembourg à Paris, groupant Arp, Atlan, Bryen, Leduc, Mathieu, Riopelle, Ubac, Wols.

1948 Exposition H.W.P.S.M.T.B. organisée par Mathieu à la Galerie Allendy, groupant Bryen, Hartung, Mathieu, Ubac, Wols, Stahly et Michel Tapié.

1949 « Les premiers maîtres de l'art abstrait », deux expositions présentées par Michel Seuphor, à la Galerie Maeght à Paris.

Exposition Pevsner, Vantongerloo, Max Bill au Musée de Zurich.

Première exposition particulière de Soulages à la Galerie Lydia Conti à Paris.

1950 Dewasne et Pillet ouvrent à Paris l'Atelier d'Art abstrait qui fermera en 1952.

1951 Pierre Guéguen emploie pour la première fois le mot Tachisme.

Michel Tapié organise à la Galerie Paul Facchetti à Paris l'exposition « Les signifiants de l'informel » qui groupe Fautrier, Dubuffet, Mathieu, Michaux, Riopelle, Serpan.

Mathieu et Michel Tapié organisent à la Galerie Nina Dausset l'exposition « Véhémences confrontées » qui groupe Bryen, Capogrossi, de Kooning, Hartung, Mathieu, Pollock, Riopelle, Russel, Wols.

Au Musée de Copenhague, Denise René organise l'exposition « Klar Form » réunissant des peintres et des sculpteurs non-figuratifs de l'École de Paris. La même exposition sera présentée par la suite à Helsinki, Stockholm, Oslo.

Exposition « Abstract Painting and Sculpture in America » au Museum of Modern Art de New York.

Exposition rétrospective de Tobey au Withney Museum de New York.

1953 « Ballet abstrait », film en couleurs dessiné directement sur pellicule par les peintres E. W. Nay, Hans Erni, Severini.

Mort de Tatline à Moscou.

1954 Premier Salon de la Sculpture abstraite à la Galerie Denise René à Paris.

1954   Mort de Matisse.

1955 Exposition « Le mouvement » à la Galerie Denise René à Paris, réunissant Agam, Bury, Calder, Marcel Duchamp, Jacobsen, Soto, Tinguely, Vasarely. Ce dernier publie à cette occasion quelques « Notes pour un manifeste ».

Exposition rétrospective de Ben Nicholson à la Tate Gallery à Londres, puis à Paris, Bruxelles et Amsterdam.

Mort de Léger.

1956   Sam Francis exécute des peintures murales pour la Kunsthalle de Bâle.

Mort de Pollock.

1956   « L'encre de Chine dans la calligraphie et l'art japonais contem-porains », exposition organisée au Musée Cernuschi à Paris.

1957   Exposition rétrospective de Pollock au Museum of Modern Art à New York.

1958   Exposition rétrospective de Pollock au Musée d'Art Moderne de Rome.

Exposition rétrospective de Kupka au Musée d'Art Moderne de Paris.

1959   Exposition « Jackson Pollock et la nouvelle peinture américaine » au Musée d'Art Moderne de Paris.

Exposition rétrospective de Bissière au Musée d'Art Moderne de Paris.

Exposition rétrospective de Mathieu à la Kunstverein de Cologne.

1960   Fondation à Paris du groupe de Recherches d'Art Visuel.

1961   Manifestation internationale d'Art visuel au Musée d'Art Contemporain de Zagreb.

Exposition rétrospective de Tobey au Musée des Arts Décora-tifs de Paris.

1962   Exposition rétrospective de Rothko au Musée d'art moderne de la Ville de Paris.

Exposition rétrospective de Jean Arp au Musée d'Art Moderne de Paris.

1963   Exposition rétrospective de Vasarely au Musée des Arts Déco-ratifs de Paris.

Exposition rétrospective de Nicols Schoeffer au Musée des Arts Décoratifs de Paris.

Exposition rétrospective de Mathieu au Musée de la Ville de Paris.

1963   Mort de Braque.

1964   Exposition rétrospective de Sophie Taeuber-Arp au Musée d'Art Moderne de Paris.

Exposition « Nouvelle tendance » (Manifestation internationale d'Art visuel) au Musée des Arts Décoratifs de Paris.

Exposition rétrospective de Fautrier au Musée de la Ville de Paris.

1965   Exposition rétrospective de Calder au Musée d'Art Moderne de Paris.

Exposition « Mouvement 2 » à la Galerie Denise René à Paris.

Exposition internationale « Lumière et mouvement » à la Kunsthalle de Berne.

1966   Mort de Jean Arp.

Bibliographie sommaire

OUVRAGES GÉNÉRAUX

Alloway L. *Nine Abstract Artists*. London, 1954.

Alvard J. *Témoignages pour l'art abstrait*. Paris, 1952.

Apollonio U. *Pittura italiana*. Venezia, 1950.

Bakuchinsky A. *Sovremennaia rouskaïa skoulptoura*. (La sculpture russe contemporaine), dans Iskoustvo, N° 2-3, 1927.

Barr A. H. *Cubism and Abstract Art*. New York, 1936.

Baur J. I. H. *Nature in Abstraction*. New York, 1958.

Bayer H., Gropius W., Gropius I. *Bauhaus 1919*. Boston, 1952, Stuttgart, 1955.

Beskine O. *Formalism v jivopisi*. (Le formalisme dans la peinture). Moscou, 1933.

Bouret J. *L'art abstrait*. Paris, 1957.

Brion M. *L'art abstrait*. Paris, 1956.

Bru CH.-P. *Esthétique de l'abstraction*. Paris, 1955.

Cavellini A. *Arte astratta*. Milan, 1958.

Crispolti E. *Appunti per una storia del non-figurativo in Italia*. s. l., 1958.

Degand L. *Témoignage pour l'art abstrait* Paris, 1952.

Domnick O. *Die Schöpferischen Kräfte in der abstraken Malerei*. Bergen, 1947.

Dorfles G. *Ultime tendenze nell'arte d'oggi*. Milan, 1961.

Duthuit G. *L'image en souffrance*. 2 vol. Paris, 1961.

Estienne Ch. *L'art abstrait est-il un académisme?* Paris, 1950.

Fasola Giusta N. *Ragione dell'arte astratta*. Milan, 1951.

Galvano A. *Le poetiche del simbolismo e l'origine dell'astrattismo figurativo*. Rome, 1956.

Giedion-Welcker C. *Plastik der XX Jahrhunderts*. Stuttgart, 1955.

Gindertael R. V. *Permanence et actualité de la peinture*. Paris, 1960.

Goodrich L., Baur J. *American Art of the twentieth century*. New York, 1962.

Gray C. *The Great Experiment – Russian Art 1863-1922.* Londres, 1962.
Grenier J. *Entretiens avec dix-sept peintres non-figuratifs.* Paris, 1963.
Guichard-Meili J. *La peinture d'aujourd'hui.* Paris, 1960.

Habasque G. *Les documents inédits sur les débuts du Suprématisme,* dans Aujourd'hui Art et Architecture, N° 4, 1955.
Haftmann W. *Malerei um 20 Jahrhundert,* 2 vol. Munich, 1954-1955.
Heath A. *Abstract painting. Its origin and meaning.* Londres, 1953.
Hess T. B. *Abstract painting – Background and American phase.* New York, 1951.

Jaffé H. L. C. *De Stijl 1917-1931.* Amsterdam, 1956.
Joseph E. *Dictionnaire biographique des artistes contemporains 1910-1930.* 3 vol. Paris, 1930-1934.
Jourdain Fr. et Degand L. *Art réaliste, art abstrait.* Souillac, 1955.

Kepes G. *The new landscape in art and science.* Chicago, 1956.

Lozowick L. *Modern Russian Art.* New York, 1925.

Marchiori G. *Arte e artisti d'avanguardia in Italia 1910-1950.* Milan, 1960.
Marchiori G. *La scultura italiana dal 1945 ad oggi.* Turin, 1961.
Mats I. *Iskoustvo sovremennoi Evropi.* (L'art européen d'aujourd'hui). Moscou, Léningrad, 1926.
Mojniagoun S. E. *Abstraktionnism rasrouchénié estétiki.* (L'art abstrait comme une destruction de l'esthétique), Moscou, 1961.

Paulhan J. *L'art informel.* Paris, 1962.
Poensgen G. et Zahn L. *Abstrakte Kunst, eine Weltsprache, mit einem Beitrag von W. Hofmann « Quellen zur abstrakten Kunst ».* Baden-Baden, 1958.
Ponente N. *Peinture moderne, tendances contemporaines.* Genève, 1960.
Ragon M. *L'aventure de l'art abstrait.* Paris, 1956.
Read H. *Art and Society.* Londres, 1945.
Restany P. *Lyrisme et Abstraction.* Milan, 1960.
Rey R. *Contre l'art abstrait.* Paris, 1957.
Ritchie A. C. *Abstract painting and sculpture in America.* New York, 1951.
Ritchie A. C. *Sculpture of the Century.* New York, 1952.
Rosenberg H. *The Tradition of the New.* New York, 1959.

Salmon A. *Art russe moderne.* Paris, 1928.
Schmidt G. *Kunst und Naturform.* Bâle, 1960.

Seuphor M. *L'art abstrait. Ses origines, ses premiers maîtres.* Paris, 1949.
Seuphor M. *Dictionnaire de la peinture abstraite.* Paris, 1957.
Seuphor M. *La sculpture de ce siècle. Dictionnaire de la sculpture abstraite.* Neuchâtel, 1959.
Seuphor M. *La peinture abstraite, sa genèse, son expansion.* Paris, 1962.
Stelzer O. *Die Vorgeschichte der abstrakten Kunst. Denkmodelle und Vor-Bilder.* Munich, 1965.
Sweeney J. J. *Plastic redirections in 20th century painting.* Chicago, 1934.

Tapié M. *Un art autre.* Paris, 1952.
Trucchi L. *Qualche ritratto : da Cézanne a Pollock.* Rome, 1961.
Tuguenhold J. *Iskoustvo oktyabrsky épokhi. (L'art à l'époque de la révolu-tion d'octobre).* Léningrad, 1930.

Umansky K. *Neue Kunst in Russland 1914-1919.* Munich, 1920.

Venturi L. *Arte figurativa e arte astratta.* Florence, 1955.

L'art contemporain et le peintre. Paris, 1961.
Arte figurativa e arte astratta. Mélanges de la Fondation Giorgio Cini. Florence, 1955.
Perché l'arte non é popolare? Milan, 1953.
Pour et contre l'art abstrait. (Ch. Estienne, L. Degand, Le Courneur, etc.). Paris, 1947.
Révolution de l'infiguré. Jarnac, 1956.
Sens de l'art moderne. Enquête. La Pierre-qui-vire, Saint-Léger-Vauban, 1954.
The World of abstract art. American abstract artists, New York, 1946.

MONOGRAPHIES
SUR LES PRINCIPAUX ARTISTES

Cathelin J. *Arp.* Paris, 1959.
Marchiori G. *Arp, cinquante ans d'activité.* Milan, 1964.
Ragon M. *Atlan.* Paris, 1962.
Dorival B. *Atlan.* Paris, 1963.
Grohmann W. *Willi Baumeister.* Cologne, 1963, Bruxelles, 1966.
Staber M. *Max Bill.* Londres.
Schmalenbach W. *Bissier.* Stuttgart, 1963.
Vallier D. *Julius Bissier.* Stuttgart, Londres, 1965.
Fouchet M.-P. *Bissière.* Paris, 1955.

Mathey Fr. *Journal en images. Œuvres de 1962 à 1964.* Paris, 1964.

Muller J.-E. *Maurice Estève.* Paris, 1961.

Francastel P. *Estève.* Paris, 1956.

Paulhan J. *Fautrier, œuvres.* Paris, 1943.

Ponge Fr. *Notes sur les Otages.* Paris, 1946.

Arcangeli Fr. *Tempere disegni litografie di Fautrier.* Bologne, 1958.

Argan G. C. *Matière et mémoire. Fautrier.* Milan, 1960.

Buccarelli P. *Jean Fautrier.* Milan, 1960.

Paulhan J. *Fautrier l'Enragé.* Paris, 1962.

Aust G. *Otto Freundlich.* Cologne, 1960.

Read H. *Constructivism : the art of Naum Gabo and Antoine Pevsner.* New York, 1948.

Oslon R., Chanin A. *Naum Gabo. Antoine Pevsner.* New York, 1948.

H. Read. *Gabo : Constructions, sculptures, paintings, drawings.* Londres, 1957.

Read H., Martin L. *Gabo.* Londres, 1957.

Read H. *Gabo.* Cambridge, s. d.

Peissi P., Giedion-Welcker C. A. *Pevsner.* Neuchâtel. 1961.

Ganzo R. *Hajdu.* Paris, 1957.

Rousseau M. *Hans Hartung.* Stuttgart, s. d.

Gindertael R. V. *Hans Hartung.* Paris, 1960.

Grohmann W. *Hans Hartung. Aquarelle.* Saint-Gall, 1966.

Bowness A. *Barbara Hepworth.* (Catalogue des œuvres.) Neuchâtel, 1961.

Grohmann W. *Kandinsky, sa vie, son œuvre.* (Catalogue de l'œuvre et bibliographie détaillée.) Cologne, Paris, New York, 1958.

Korn R. *Kandinsky und die Theorie der asbtrakten Malerei* (L'art abstrait étudié et contesté du point de vue marxiste). Berlin, 1960.

Lassaigne J. *Kandinsky.* Genève, 1964.

Ragon M. *Zoltan Kemeny.* Neuchâtel, 1960.

Cassou J., Fedit D. *Kupka.* Paris, Stuttgart, 1964.

Cayrol J. *Manessier.* Paris, 1966.

Seuphor M. *Piet Mondrian, sa vie, son œuvre.* (Catalogue de l'œuvre et bibliographie détaillée). Cologne, Paris, 1956.

Gioseffi D. *La falsa preistoria di Piet Mondrian e le origini del plasticismo.* Trieste, 1957.

Wittenborn G., Lewis D. *Mondrian.* New York, 1957.

Ragghianti C. *Mondrian e l'arte del XX secolo.* Milan, 1962.

Menna F. *Mondrian, cultura e poesia.* Rome, 1962.

Grohmann W. *Henri Moore.* Berlin, 1960.

Read H. *Ben Nicholson, paintings, reliefs, drawings.* Londres, 1948.

Reichardt J. *Victor Pasmore.* Londres, 1961.

Seuphor M. *Penalba.* Amriswil, 1960.

Ragon M. *Poliakoff.* Paris, 1956.

Vallier D. *Serge Poliakoff.* Paris, 1959.

Robertson B. *Jackson Pollock.* Londres, 1960.

Apollonio U. *Santomaso.* Amriswil, 1959.

Haftmann W. *Santomaso in Puglia.* Bari, 1964.

Alley R. *William Scott.* Londres, 1961.

Juin H. *Soulages.* Paris, 1958.

Ragon M. *Soulages.* Paris, 1962.

Tudal A. *Nicolas de Staël.* Paris, 1958.

Gindertael R. V. *Staël.* Paris, 1960.

Giedion-Welcker C. *François Stahly.* Zurich, Paris, s. d.

Schmidt G. *Sophie Taeuber-Arp.* (Catalogue de l'œuvre). Bâle, 1950.

Tapié M. *Antonio Tapiès.* Barcelone, 1959.

Pounine N. *Tatline protiv coubisma. (Tatline contre le cubisme.)* Pétrograd, 1921.

Roberts C. *Tobey.* Paris, 1959.

Choay Fr. *Tobey.* Paris, 1961.

Solier (de) R. *Vieira da Silva.* Paris, 1956.

Weelen G. *Vieira da Silva,* Paris, 1960.

Roché H.-P. *Souvenirs sur Wols.* Paris, 1958.

Sartre J.-P., Roché H.-P., Haftmann W. *En personne, aquarelles de Wols.* Cologne, Paris, 1963.

360

ÉCRITS D'ARTISTES

Baumeister W. *Das Unbekannte in der Kunst.* Cologne, 1961.

Bazaine J. *Notes sur la peinture d'aujourd'hui.* Paris, 1953.

Delaunay R. *Du Cubisme à l'art abstrait.* Les cahiers inédits de Robert Delaunay publiés par P. Francastel suivis du catalogue de l'œuvre, établi par G. Habasque. Paris, 1957.

Freundlich O. Extraits des écrits d'Otto Freundlich publiés dans le catalogue de l'exposition de ses sculptures à la Galerie Claude Bernard. Paris, 1962.

Gabo N. *On divers arts.* Londres, 1962.

Herbin A. *L'art non-figuratif non-objectif.* Paris, 1949.

Kandinsky V. *Regard sur le passé.* Paris, 1946.

Kandinsky V. *Du spirituel dans l'art.* 3e éd. Paris, 1963.

Kandinsky V. *Point Ligne Surface.* Paris, 1963.

Lapicque Ch. *Essais sur l'espace et la destinée.* Paris, 1937.

Lissitzky El et Arp H. *Die Kunstismen 1914-1924.* Zurich, 1925.

Malévitch C. *O novih sistémah v iskoustve. (Les nouveaux systèmes dans l'art).* Vitebsk, 1919.

Malévitch C. *Suprematism* (en russe). Vitebsk, 1920.

Malévitch C. *Bog ne skinut; iskoustvo, tserkov, fabrika.* (Dieu n'est pas déchu; l'art, l'église, l'usine). Vitebsk, 1922.

Malévitch C . *Die gegenstandslose Welt.* Munich, 1927.

Malévitch C. *Suprematismus – Die gegenstandslose Welt.* Nouvelle édition revue et corrigée. Introduction par Werner Haftmann. Cologne, 1962.

Malévitch C. *The non-objective World.* (Traduction américaine abrégée du Gegenstandslose Welt d'après l'édition de 1927). Chicago, 1959.

Mathieu G. *Au-delà du Tachisme.* Paris, 1963.

Moholy-Nagy L. *Von Material zu Architektur.* Munich, 1929.

Mondrian P. *Le Néo-plasticisme.* Paris, 1920.

Mondrian P. *Plastic Art and pure Plastic Art 1937 and other Essays 1941-1943.* New York, 1945.

Moore H. *Schriften und Skulpturen.* Frankfurt, 1959.

Pevsner N. *Propos d'un sculpteur,* dans l'Œil, N° 23, novembre 1956.

Pevsner N. *Les écrits de Pevsner dans : Pevsner au Musée National d'Art Moderne.* Paris, 1964.

Schwitters K. *Les Merztableaux,* dans Abstraction-Création 1932, p. 33.

Schwitters K. *Merzbau,* dans Abstraction-Création 1933, p. 41.

Van Doesburg T. *Classique, Baroque, Moderne.* Anvers, 1924.

Van Doesburg T. *Élémentarisme,* dans Abstraction-Création 1932, p. 39. Voir aussi *De Stijl, janvier 1932 :* numéro consacré à Van Doesburg.

Vantongerloo G. *L'art et son avenir.* Anvers, 1924.

Vantongerloo G. *Préliminaire, axiome, postulat,* dans Abstraction-Création 1932, p. 40-41.

Revues qui ont publié dans le passé et qui continuent de publier d'importants textes sur l'art abstrait :

Aujourd'hui Art et Architecture. Paris.

Art International. Zurich.

Arts Magazine. New York.

Art News. New York.

Art News and Review. Londres.

Cahiers d'Art. Paris.

Cimaise. Paris.

La Biennale. Venise.

L'Œil. Paris.

Quadrum. Bruxelles.

xxᵉ Siècle. Paris.

Revues ayant cessé de paraître et qui étaient consacrées exclusivement
    à l'art abstrait :

De Stijl, 1917-1932. Leyde, plus tard Clamart et Meudon.
Vecht, Gegenstand, Objet. Berlin, 1922.
Zeitschrift für elementare Gestaltung. Berlin, 1923.
Cercle et Carré. Paris, 1930.
Art concret. Paris, 1930.
Abstraction-Création. Paris, 1932-1933.
Axis. Londres, 1935.
Art abstrait. Bruxelles, 1952.

Index des noms cités

Table des illustrations

Table analytique des matières

Introduction

1. Les origines de l'art abstrait et son expansion

Importance des écrits des premiers peintres abstraits. La première aquarelle abstraite de Kandinsky, **44**. *Du spirituel dans l'art*, **45**. *Regard sur le passé,* 1913 : Kandinsky raconte sa vie à la manière de Proust, **46**. La mémoire reconstitue le temps passé : son enfance, ses études, **47**. L'importance de Moscou dans son œuvre, **48-49**. Sa première palette, **49**. Pressentiment des pouvoirs de la couleur : la *Meule* de Monet, **50**. Influence de la musique, **51**. Découverte du pouvoir d'envoûtement de la peinture : voyage dans le Nord de la Russie, **51-52**. Munich : apprentissage académique : paysages inspirés d'un Moyen Age imaginaire, **54**. Paysages de Schwabig et Murnau, **54**. La suppression de l'objet figuré ressentie comme une nécessité, **55**. *Du spirituel dans l'art* et l'aboutissement à la forme abstraite, **56**. Kandinsky tributaire du spiritualisme fin de siècle, **57**. Conscience de la valeur abstraite des moyens d'expression, **60**. Analyse des qualités intrinsèques de la couleur, **61-63**.

La couleur, élément constructif de base dans les premières œuvres abstraites de Kandinsky, **63**. Passage du « matériel au spirituel », **64**. De la première aquarelle abstraite à la première peinture abstraite, **64-66**. 1910-1914 : Période dite dramatique, **66**. *Impressions, Improvisations, Compositions.* Démarche de Kandinsky. Croquis et aquarelles préparatoires, **67-70**.

1914-1921 : Activité de Kandinsky en Russie, **71-74**. Retour en Allemagne, **74**. Au Bauhaus, **74**. *Point Ligne Surface :* analyse des moyens d'expression en vue d'une théorie de l'art sur des bases scientifiques, **74-75**. Changement de son style, **75-81**. 1933 : Kandinsky à Paris. Dernières étapes de son œuvre, **81**.

Singularité de son œuvre, **87-89**. Sa vie : son éducation calviniste. Le refoulement de l'instinct, **89-92**. L'autorité paternelle, **92**. Premières études de la peinture, **92**. Crise mystique, **92**. 1892 : Inscription à l'École des Beaux-Arts d'Amsterdam. Intérêt pour la théosophie, **93-94**.

Mondrian et la théosophie, **95**. L'idée théosophique de la perfectibilité associée à la peinture, **96-98**. Le triptyque *Évolution*, **99-100**. Importance psychologique et plastique du cubisme dans le développement de la peinture de Mondrian, **100**.

La peinture de Mondrian : ses débuts, son épanouissement, premier séjour à Paris, **101-104**. La démarche du peintre, **104-105**. Son aboutis-

2. L'art abstrait
des années trente

3. L'art abstrait
après 1945

Conclusion

le spectateur et l'œuvre d'art, **288**. Réalisme et vision cubiste, **288**. L'art
actuel dans son ensemble repousse le réalisme, **290**.

Art abstrait et communication, **290**. La théorie de la Gestalt, **291-292**.
Impasse du langage critique et approfondissement de l'abstraction, **292**.
Décalage entre la sensibilité et l'entendement aux prises avec les formes
abstraites, **294**. L'habitude au contenu intellectuel comme frein, **295**.
L'art abstrait en tant que phénomène et son influence sur la vie
quotidienne, **295-296**.

L'art à l'opposé de la science, **296-298**. L'extrême subjectivité de l'art
actuel, antidote contre le dessèchement de l'abstraction, **298-299**.

Imprimé en France par l'Imprimerie Hérissey à Évreux (Eure) - N° 79350
HACHETTE LITTÉRATURES - 74, rue Bonaparte - Paris
Collection n° 25 - Édition n° 05
Dépôt légal : mai 1998
ISBN : 2.01.2789064
ISSN : 0296-2063

27.8906.3